新潮文庫

夫婦の一日

遠藤周作著

目次

夫婦の一日

夫婦の一日

妻がだまされた。

と言うと大袈裟《おおげさ》になるが、私から見るとインチキな占師の、出鱈目《でたらめ》な預言に彼女はひっかかったのである。その男は妻にこう言った。

「放っておくと、あんたの御主人に十一月には大きな不幸が来ますよ」

普通、占師はそこまで悪いことをはっきりは口に出さぬと聞いている。しかし私から見るとインチキなその占師は遠慮もせずにそう言ったそうである。

ことの起りはこうである。

今年になって、私の家では、よくない事や悲しいことばかりが起った。思いだすのも辛《つら》いが、三年間も働いてくれた若いお手伝さんが突然、発病した。

血液の癌《がん》で、大学病院に入院したけれども二ヵ月半の命と宣告され、それより一ヵ月だけ生きのびただけで死んでしまった。

昨年の年末まではそんなことを夢にも想像できぬほど元気だった。お正月休みに田舎に帰って正月五日、戻ってきた時、風邪に似た病気にかかっていた。

近所の医者も風邪だと診断したが、それが一週間たっても十日たっても良くなるどころか、悪化する一方なので、友人の医師の診察を受けた。

「即刻、大学病院に入院させなさいって」

妻から出先の場所に至急電話がかかってきた時、私は即座に悪い予感にかられた。受話器を握りしめたまま、こみあげてきたその不吉な予感を急いでのみこんだ。癌という文字を頭にうかべることが、怖《おそろ》しかったのである。

三ヵ月半、妻も私も病人に嘘《うそ》ばかり言いつづけた。今は苦しいけれども三月の終りにはきっと恢復《かいふく》して退院できるのだ、とさえ言った。三月の終りといったのは、それが彼女の若い生命が尽きる頃として医師の言った時期だったのである。

何もわるいことをしていない娘がこんな病気にかかり、こんな風に死んでいく。

それを思うとたまらなかった。夜、目をさまし、そのことをどう心のなかで処理していいのか考えつづけた。目を闇《やみ》にあけていると、妻もたびたび寝がえりをうった。

妻が病人のために茶断ちをすると言うので、私も三十五年間、喫《す》いつづけてきた煙草《たばこ》をやめることにした。そんなことが効果がないにせよ、せめて彼女の苦しみをわかちあいたい気持だったのである。

悪いことには悪いことが重なる。

三月、ながい間、蓄膿症《ちくのうしょう》だった私の鼻から不快な出血がつづき、病人の入院している大学病院で診てもらうと癌になる怖れがあるから手術せよと奨《すす》められた。むかし大きな手術を三度もうけた私だったから一時間ほどのオペは何でもなかったが入院の病人二人をかかえた妻は大変だったろう。

私が手術を受けて三日目に、お手伝さんは息を引きとった。今年の春のことは思い出すのも辛い。

「馬鹿《ばか》、言うな」

と私は久しぶりに妻に荒々しい声をだした。夕食を一緒にとっている時から彼女がいつになく沈んだ顔をして口数も少いのを訝《いぶか》しく思い、二人きりになってから問いただしてみた。そして妻が女友だちに連れられ中野の占師を訪れたことを知った。

「なぜ、そんなところに行く。俺たちがカトリックだということを忘れたのか」

「でも、色々と悪いことがあるし……それにあなたの体が心配だったから」

妻は私から眼をそらせて弁解した。

そう言われ私は一瞬たじろいだ。

たしかに手術したあとも私の体は調子が悪かった。鼻のほうは一応は直ったが、五十数歳の体にそんな一時間程度の手術でもかなりの衝撃を与えたようで、四ヵ月たっても衰弱が一向に恢復しなかった。体重がめっきり減り、頬がげっそりこけただけでなく、夏だというのに下肢に異常な冷たさを感じたり、関節に痛みを感じた。医師は私に糖尿病が悪化し、ホルモンのバランスが崩れたのだと言った。

「俺の体が心配だったからと言って、そんな占師の言う迷信などを信じるのか」

「だって、次々と悪いことが続くでしょう。だからAさんがよくあたる占師のところで見てもらおうって……」

「曲りなりにも俺たちは基督《キリスト》教信者だろ。恥ずかしくないかね。そんな男にだまされて」

やりこめられた時、いつもそうするように妻は唇を少しとがらせて黙りこんだ。しかし不服であるのはその表情でよく私にはわかっていた。


十五年ほど前、ある婦人雑誌にたのまれて下町にあるよく当るという老女の占師を取材したことがあった。

午後の小さな暗い玄関に、女性の靴や下駄《げた》が何足か散乱していた。それはこの老女をたずねてきた客のものらしかった。私たちもその履物と履物との間に自分の靴をぬいだ。

「臭いね」

私は同行した雑誌社の人にそっと囁《ささや》いた。その臭《にお》いには家にこもっている臭気だけではなく、別の何かが含まれているような気がした。

待ち部屋になっている六畳に入ると三人の先客が待っていた。いずれも女性で、二人は中年の婦人であり、一人は水商売らしい化粧をした若い女だった。若い女は咽喉《のど》にでも何かできたのかよごれた包帯を首にまき、煙草をすっていた。中年の女たちは私をちらと見ると、そのまま視線を西陽のさす窓のほうに向け、それぞれ物思いにふけっていた。

廊下を隔てた部屋からひくい陰気な声がかすかに聞えてきた。呪文《じゅもん》でも唱えているようなその声はやがて占師のお狐《きつね》さまへの祈禱《きとう》だとわかった。

西陽が暑かった。その暑い光線のなかにさっきのあの臭いが更に強くなった。

やがて一人の女が(彼女も中年の主婦だった)戻ってくると、入れ代りに煙草を喫《す》っていた若い女性が待ち部屋から姿を消した。残った二人の中年の女たちは相変らず窓のほうにぼんやりと眼を向けて何かを考えこんでいる。

何とも言えぬ遣切《やりきれ》なさが胸にこみあげてきた。その遣切なさは自分の悩みや苦しみの解決をこのような迷信じみた祈禱に求めるこの女性たちの顔を見ているうちに起ってきた。何だか悲しくさえなってきた。

妻と口論をしながら十五年前のその夕暮のことを急に思いだした。西陽の照りつけていたあの女占師の部屋と、そこで待っていた三人の女たちの表情、そして部屋全体にこもっていた臭いまで甦《よみがえ》ってきた。

妻も、今日、同じような顔をしながら占師の家で自分の順番を待っていたのだな、と思った。その顔は我々の持つ最も愚かな面と最も低級な意識のあらわれのような気がした。そして妻がその愚かな、低級な部分をむき出しにしたと考えると、言いようのない疲労感が胸に拡《ひろ》がった。

その日、彼女に口をきかなかった。きかぬことで私がこのような迷信を本当はどんなに嫌っているのかを見せようとした。私は雑誌社に頼まれて占師の家に行ったがそれはあくまで好奇心のためであり、好奇心以上の何ものでもなかった。食卓でもテレビを一緒に見ている時でも眉《まゆ》のあたりに不機嫌な影を漂わせている私に妻は当然、気づいた筈《はず》だった。

「ごめんなさいね」

と彼女はその夜やっとあやまった。

「あんなところに行って」

あやまられたことで、不快は少しずつとけたので、

「それはね、君の不安な気持もわかるさ……」

「わかってくださるのなら……私と一緒に鳥取に行ってください」

突然、思いがけないことを彼女が口にしたので、その意味がよく理解できず、私はきょとんと妻の顔を見た。

「鳥取？　鳥取になぜ行くんだい」

「十一月にあなたに良くない事が起らないためには……吉方《きっぽう》のお水と砂を取って

こなくちゃいけないんです。その水を飲んでもらい、砂を家の庭にまくんです」

私は黙ったまま彼女を睨《にら》みつけていた。長年、生活を共にしたこの女が一瞬見知らぬ別の女になったような恐怖さえ感じ、

「お前……お前だってカトリックだろう」

妻は私と結婚したあと、カナダ人の神父さんから洗礼を受けた。もっともそれは、私への義理と妻としての義務感から行ったものだったかもしれない。だが二十五年間、一緒に教会に行ったり、知人の冠婚葬祭に出ても彼女はすっかり信者になりきっているように私には見えた。

「ええ、そうですよ。でも私はあなたとは違うんです」

「どう違うんだ」

「あなたみたいにカトリック以外の宗教を無視する育ちかたはしていないんです。実家の父も母も観音さまの信者だったから、私も観音さまを今でも拝む気持は捨てられません。方《かた》たがえだって迷信だ、迷信だと思えないんです」

「それじゃお前は多神教じゃないか」

「多神教か何か、むつかしいことはわかりません。でも皆が拝むものに、頭をさげたっていいじゃありませんか」

妻が宗教のことでこんなに開きなおり、逆《さか》ったのは始めてである。私はさっきと同じように茫然《ぼうぜん》として彼女の顔を見ていた。

「ねえ、鳥取に行ってください」

「馬鹿を言うな」

「お願い。鳥取に一緒に行ってください」

妻の表情は必死であり、真剣だった。彼女がそんな顔をするのは、その占師がよほど悪い予想を口に出したに違いなかった。

「俺が鳥取に行かなければ、どうなるんだ」

「それは……悪いことが起るんです」

「悪いことって何だね。俺が死ぬのか」

はっきりそう言うと妻は眼をそらせたまま、何も返事をしない。その眼のそらせかたで、彼女が聞いたことが何かが、私にもよくわかった。

怒りがこみあげてきた。これは最も悪辣《あくらつ》な詐欺《さぎ》だと思った。他人の不安や心配を利用して金をとる詐欺にちがいなかった。その詐欺に妻はひっかかったのだと私は考えた。

その日だけでなく翌日も翌々日も私は妻にものを言わなかった。こちらがこれほど怒っているのを見せれば彼女も折れるだろうと高を括《くく》ったのである。

しかし何時《いつ》になく妻は気持を変えず、

「お願い。鳥取に行ってください」

二日間、この言葉をくりかえして私の承諾を得ようとした。私は返事をしない。まったく黙殺しようとする。

友人のMに相談した。Mは私と同じようにカトリックだったからである。

「女房が馬鹿になったんだ。閉口をしている」

私のうち明け話をきいてMは、

「断然、拒絶するんだ。そういうことを許すと奥さんは今後もその占師にすべて相談に行くようになる」

と反対した。私もまったく同感だった。

別の友人のAはカトリックを毛嫌いしている男だったが、これもMと同意見だった。

「志賀直哉はねある日、虫の居どころが悪く、道のお地蔵さまを蹴倒《けたお》したそうだ。その後すぐ座骨神経痛を患《わずら》い、子供を亡《な》くしたので夫人がお地蔵さまにお詫《わ》びしたいと言われたが、絶対に許さなかったってな。迷信を一度信じると泥沼に足を入れたようになる。Mの言う通りだ」

彼等は長年の友人だから他人の眼にはおそらく滑稽《こっけい》で愚劣にちがいない私たち夫婦の争いを笑いもせず、親身になって考えてくれた。そして二人の意見はまた私の気持でもあった。

「MもAも、あれは泥沼にはまるようなものだと言っていたぞ。一度、足を入れるともがけばもがくほど、這《は》いあがれなくなる」

そう教えても、妻は私の顔をじっと見て、

「鳥取に行ってください」

と半ば泪《なみだ》ぐんだ。

「Mはたとえその迷信通り、何もせず十一月に俺が死んだって、かまわんじゃないかと言っていたさ。そうなりゃ、これも殉教だからな」

私は妻を笑わそうとしてそんな話を伝えたのだが、彼女はにこりともせず、

「ほかの事はもう頼みませんから、このことだけは承知してください」

それだけを繰りかえした。


雨模様の日、私と妻とは羽田飛行場の待合室で半時間も遅れている飛行機の出発を待っていた。鳥取の飛行場は雨や霧の日には着陸が困難になるので、天候をもう少し見てから決めるのだと係員が言った。

(よかった)

と私は心のなかでほっとした気持だった。このまま飛行機が飛ばなければいい。そうなれば妻も仕方がなかったと諦《あきら》め、私は愚かな迷信を自分までが実行しないですむ。

いつになく頑固で執拗《しつよう》な彼女の頼みに私が根負けをしたのは、これ以上、不快な気持を持ち続けるよりは早く片附《かたづ》けたほうがいいという利己心もあったが、最後に相談したＩ神父が、

「そんなこと何でもないじゃないか。鳥取に行ってやりなさいよ。君がその迷信を信じていない以上、行こうが行くまいが、君には問題ないだろ。むしろ奥さんの気持がそれですむなら、行くことで解決したまえよ」

と言ってくれたためだった。

今度だけは占いの通りにするが、二度とそんな家には足を運ばないという条件を出し私は渋々、妻の希望に従った。だが飛行機の切符を手に入れ、朝早くこの羽田飛行場に来ても自分が今日から二日間、愚劣きわまる無意味なことに時間を浪費するのだという不快感をどうしても追い払うことができなかった。そしてそ

んな詐欺を妻に働いた占師の胸ぐらをつかまえて何処《どこ》かに突き出してやりたかった。

妻は小さな鞄《かばん》のなかにスコップや水筒を入れている。その上、三十糎《センチ》ほどの杭《くい》と木槌《きづち》も用意していた。スコップは帰宅後、わが家の庭にまく砂を鳥取で取るためであり、水筒は私に飲ませる向うの水を入れるためだった。更に小さな杭を占師の指図に従って鳥取の何処かに打ちこむことになっていた。木槌や杭を彼女に持たせるわけにはいかなかったから、私がこわきにかかえたが、その包みに眼がいくたびに自分が何故《なぜ》こんなことをしているのかを思いだし、チ、チと舌打ちをしたい気持だった。

（雨よ、もっと降れ。飛行機よ、出るな）

私は心のなかで念じていたが一時間ちかくたつと、アナウンスが鳥取行きの客に出発を知らせた。途端にそれまで沈んでいた妻の顔が急に明るくなった。

霧雨のなかをバスにのり、飛行機まで運ばれた。機体の小ささも、席の狭さも、プロペラ機であるのも、何もかも気にくわない。私は浪費する時間を少しでも惜しむようにわざと鞄から本を出し、妻には話しかけず読みはじめた。

「ごめんなさいね、我儘《わがまま》を押し通して」

と彼女は飛行機が動き出した時また、あやまった。

「いいか。今度だけだぞ」と私は念を押した。「もう二度と占いなどに見てもらうな」

「わかっています」

雨雲のなかを小さな飛行機はたえずゆれながら飛びつづけた。本を読んでいるうちに私は眠くなり、しばらくうとうととしてうす目をあけると浜松の上を飛んでいた。

わびしい小さな飛行場に着いた。これもわびしい建物のなかに見送り人や客の湿った体臭がこもっていた。今、到着した飛行機は折りかえし東京に引きかえすのである。

ここにおりるのは始めてだったから私は建物を出て灰色の雲に覆《おお》われた風景を眺めながら、何処に行こうかと考えた。妻が砂をすくったり、杭を地面にうち込んでいる姿を誰かに見られたくはなかったからである。

「近所で見物するところは何処ですか」

私は妻とタクシーに乗ると若い運転手にたずねた。

「長者湖と砂丘だね」

「今日は見物人がたくさん来ていますか」

「天気が悪いからなあ。少いんじゃねえですか」

その二ヵ所を廻ってくれと頼んで私は鞄から山陰地方の旅行ガイドの雑誌をとり出した。しかしそれには長者湖の説明はなかった。何かで読んだかすかな記憶ではそこには一人の長者がいたが小作人たちの労苦に心を寄せなかったため彼の田畠《たはた》が一夜で湖になったという伝説の湖だった。

小さな湖がすぐ見えた。雨がまたふりはじめて湖の水は黒く、まわりの森も黒い。しかし湖にそって国道が走り、たえずトラックや車が通りすぎているようなので、おりて杭を地面に打ちこむわけにはいかない。

「お客さん、おりますか」

運転手は少しひどくなってきた雨に窓をあわててしめながらたずねた。

「いや、いいよ。車から見るから」

「じゃあ砂丘に行きましょう」

砂丘に行っても車から降りないつもりでいた。妻が私の反対を押しきって砂をすくったり杭をうち込むのは仕方がないが、私までそんな迷信に巻きこまれたくはなかった。ここまでついて来ただけで夫としては充分だと私は考えた。

車は雨のふるひろい台地を走り、丘をのぼった。その丘をおりるとそこが有名な鳥取砂丘なのだと運転手が言った。


妻は、彼女の母親が方位や家相にこだわるのを笑っていた。妻は少女時代、見しらぬ人の家に妹と二日間ほどあずけられたことがあった。それは引越しをする筈になっていたのだが今の家からその新しい家の方位が悪いために、母親が二人の娘を知人の家に泊らせたのである。

「あの時はほんとに、えらい迷惑だったわ」

その話を私にしてくれた時、妻は自分の母親のことを可笑《おか》しそうに笑った。私たち夫婦がささやかな家を建てようとした時も妻の母はそっと家相のことを心配してくれた。もっとも私も妻もそんな話を一笑にふして取りあわなかったため、設計図には少しも変更はなかった……

その妻が今、母親と同じように迷信を信じている。それは母親ゆずりの傾向が年とって出たのか、それとも今年次々と起った災難が彼女の心をそこまで弱くさせたのか、私にはわからなかった。しかし私には迷信を信ずる気持などはもっとも次元の低い心の働きのような気がしてならなかった。

「本当の宗教とは、そんなことと関係ないんだよ」

「そんなことって」

「それを信じれば病気が治るとか、世俗的な運がひらけるとか……そういうことさ」

私はむかし何度も妻にその点を強調してきたつもりだった。そして彼女も私の考えに同意したと思っていた。

砂丘の入口の前はひろい駐車場があり、駐車場を囲んで三軒の土産物屋が並んでいる。

雨が更にひどくなった。それでも三組ほどの新婚夫婦らしい男女が傘をさして砂丘に入る松林のなかに姿を消した。

「お客さん、傘は持っているんですか」

「いいえ」

と首をふった。

「でもレインコートとビニールがあるから」

彼女はバッグから採った土を包むため用意したビニールをとり出した。

「行ってこいよ」

と私はつめたく木槌と杭を入れた風呂敷《ふろしき》を彼女の膝《ひざ》にのせ、

「俺はここに残っているから」

と言った。

「そう」

妻は上眼使いに私をチラッと見て、また眼を伏せ、レインコートを着て車から出ていった。

松林に向う砂地を歩きにくそうに登る妻の背中を意地悪な眼で見つめた。そして彼女の姿が消えたあとも私はじっと車のなかで動かなかった。運転手はハンドルの横のラジオをつけた。

「結婚式はショーテンカク、披露宴もショーテンカク」

ラジオからそんな声が聞えてくる。

「お客さんは砂丘を見ないんですか」

雨が少し小降りになった時、運転手がふしぎそうに言った。ここまで来ても一向に見物しない私を訝《いぶか》しく思ったのであろう。

「ああ、雨だからね」

「トランクに俺の傘があるから、貸しますよ」

「いいよ」

しかし運転手はもう車をおりて後部トランクの蓋《ふた》をあけようとしていた。

仕方なくその傘を借りて、さっき妻が登った砂地を松林に向った。砂地はすっかり湿って、ところどころに水溜《みずたま》りができていた。

松林をぬけた途端、雨をふくんだ風が強く顔にぶつかった。前面に灰色の大きな砂丘がみえ、その砂丘の背後に暗い黒い日本海が白波を泡だたせて拡《ひろ》がっていた。

見物人は七、八人もいない。豆粒のようにみえる。私は妻がどこにいるか探すと、彼女の着ていたベージュ色のレインコートが、砂丘の隅に遠くに見えた。

しゃがんでいる。砂をビニールにとっているのか、杭を打ちこんでいるのかわからぬがその背中が懸命に動いている。

私はその方向に向って歩いた。妻にたいする何とも言えぬ憐憫《れんびん》の気持がこみあげ、その気持に押されて足が動いた。

うしろに立つと彼女はこちらをふりむいた。雨で髪も顔もぬれ、その髪が額にへばりついていた。不器用な手つきで砂をビニールに入れていたのがよくわかった。そして今彼女は杭をその砂のなかに打ちこもうとしているのだった。

「貸せよ、その木槌を」

私が言うと、妻は怒ったような顔をして私に木槌をさし出した。

「こんなことやったって……無意味じゃないか、え、わかるだろ」

そう言いながら、しかし私は妻が両手で支えた杭の頭を木槌で打った。打ちながらこれが人生だと思った。チエホフが書いた短篇でこんな夫婦の愚劣な一日があったような気がする。しかし……しかし、これで良いのだと言う感情が心の半分で生れ、その感情が少しずつ胸に拡がっていく。

「これで……」

打ちこまれ、わずかに頭の残った杭に砂をかけながら私は妻に言った。

「気がすんだろ」

妻はニッと笑って、うなずいた。

授賞式の夜

かしこまって彼は演壇の左に腰かけていた。反対側にこの文芸賞の選衡委員たちが一列にならび、真むかいには受賞を祝って来てくれた作家や出版社の友人が席を埋めていた。

式がはじまる前、利光はそれらの友人、知人の顔に笑いかけたり目礼をしたりした。ものを書きはじめてから三十年の間に見なれてきた顔である。むかし、彼の小説の欠点を容赦なく指摘したので一時は仲たがいまでしたAの顔がある。利光が長期入院をしている時も忘れずに月に一度は見舞に来て励ましてくれた出版社のBの顔もみえる。文学的な仲間というより、遊んだり飲んだりする友だちのCも来てくれている。その一つ、一つを眼で追いながら彼は、今日、雨のなかをここに駆けつけてくれた好意を嬉《うれ》しく思っていたが、不意に自分がこれらの人たちをどこかでだましているようなうしろめたさと、ここに腰かけている居心地悪さを感じた。

この複雑な感情はどう分析してよいかわからなかった。彼は自分がいつか死んで、葬式が行われる日、やはりこの人たちが今日と同じように忙しいなかを参列してくれ、彼の遺影に向きあい、何人かが心こもった弔辞を読んでくれる時、今と同じうしろめたさ、居心地の悪さを感じるのではないかと急に思った。そして、菊の花にうずまった彼の遺影の口がゆがみ、「私はその弔辞のような男ではないんです」と叫んだらどうなるだろうと考えた。

現実にはそんな馬鹿《ばか》げた事が起る筈《はず》はない。額ぶちに入れられた写真の利光は弔辞の間も温和《おとな》しく微笑し、温和しく沈黙し、温和しく耳かたむけているだろう。ちょうど今、選衡委員の一人が壇上に立って受賞作と基督《キリスト》教との関係を多少の諧《かい》謔《ぎやく》をまじえて話してくれている間、彼がじっと聞いているように。そして突然、立ちあがって、そのスピーチをひっくりかえすような声で「私はそんな男ではないんです。私は……」とは決して言わないように……

選衡委員は決して間違った説明や解釈をしているのではなかった。利光はたしかに幼少の頃、母親が強いた洗礼をうけ、その宗教に苦しみ、それを軸として小説を書いてきたからである。作品にも「イエス伝」とか「天の無言」というように基督教が彼の心を刺激し、苦しめ、迷わせた主題を露骨に織りこんだものが多かった。だからこの選衡委員がその方面から受賞作を語ってくれるのも当然だったし、更に今度の受賞作は、長い間の利光の迷いや問題に決着を与えたものだと人も言い、彼自身もそう思っていた。

去年、やっとこの作品を書き終えた時、利光は久しぶりに心の静かさを味わうことができた。その静かさは、秋の日の午後、柔らかな陽をあびている果樹園の静寂に似ていた。彼は果樹園の真中に腰かけて自分が丹精し、実らせた林檎《りんご》を満足げに掌にのせて見つめる農夫だった。そして彼はこの作品のなかで五十六歳になってやっとつかまえた彼のイエスなるものの姿をたしかに自分のものだと信ずることができた。

そのイエスなるものの像は彼をふくめて人間の生涯の同伴者的な姿だった。同行二人という四文字を笠《かさ》に書いて、とぼとぼと人生という山の辺の道を歩む者のうしろから離れずついてくる影のような存在だった。

それなのに、あれから半年以上たった今、選衡委員や参列者の前で感じることのうしろめたさは何なのだろう。実はその違和感は、今起ったものではない。それは少しずつ少しずつ目に見えぬ埃《ほこり》のように、遠くから聞える海鳴りのように彼の心のなかに溜《たま》り、彼の内面で鳴ってきたのだ。事実この授賞式に来るために乗ったタクシーのなかでも味わったし、今朝、洗面所の鏡にむかって自分の顔を見つめている時にも心のなかに起っていたのである。

その時、彼は歯ブラシを使いながら昨夜見た夢をまた思いだしていた。若い頃の彼なら夢を見てもすぐ忘れてしまったのだったが、三年前、たった一人の兄や身内を次々と亡《な》くして、一時、つよい不眠症と鬱《うつ》的な傾向に陥り、臨床心理学の医師に治療を受けて以来、前夜の夢をかなり甦《よみがえ》らせることができるようになっていたのだ。

昨夜の夢は、紐《ひも》で縛った箱を彼が懸命に開けようとしているものである。紐の結び目が複雑で解けず彼はいらいらし、怒りさえ感じ、その怒りのために目がさめた。

昨夜だけでない。時々、それと似た夢をよく見た。それと似たというのは綱や紐で縛った何かがよく出てくる点である。夢のなかで彼が縛られて悲鳴をあげている他家の犬を逃がそうとしたり（それは実際にもあった出来事で、小説に書いたこともある）、縛られたロバが彼の前にあらわれたり、縛られた郵便物の束に埋って溜息《ためいき》をついたりする。医師は彼にそんな夢をしゃべらせながら頬杖《ほおづえ》をつき遠くを見つめているような眼で（その医師はたれ目で、顔色がわるく、疲れきったようだった）その話をきいていた。

「私には特に性的にサディストの傾向はないと思います」

利光は予防線をはるように自分の性的傾向は正常だと言った。語っている夢に縄や紐がよく出てくるので医師が彼のことをサドかマゾかと考えないか心配したのである。

「いやいや」

医師は重々しくうなずいた。

「人間、誰でもそんな傾向はあるものです。だから恥ずかしいことじゃありませんよ。でもね、利光さんの場合、夢に縄や綱が出てくるのは別のためだと思いますね」

「何でしょうか」

「さあ、まだ何も言えませんが、あなた、小説のなかで夢にも出てくるようなロバや犬を使ったことはありますか」

「ロバはありません。犬なら幾回も小説のなかに出しましたが……」

「じゃあ、その時、その犬はあなたにとって何でしたか」

春で、外は花びえの日だった。心療医師の部屋は空虚で鉛筆を入れたピースの空鑵《あきかん》をおいた机と二つの椅子《いす》と、そして患者が楽に話せるためにおいた鉄製の簡易ベッドのほか何もなかった。利光はベッドではなく椅子に腰かけ眼をつむって自分が犬を登場させた短篇を嚙《か》みしめた。犬は彼の作品のなかではいつも雨のなかをうろつくようなあわれな姿で描かれていた。必ず野良犬《のらいぬ》か雑種で、決して血統書つきの種類のものではなかった。

「私の書いた犬は……、人間から捨てられたあわれなイエスのイメージです」

「ああ」とこの時だけ、疲れきった表情をした医師のたれ目に急に好奇心が光り、そのなまなましさが利光を急に警戒させた。「ぼくは基督教のことはよくわからんです。……しかしその犬、本当にイエスのイメージでしたか。それよりあなた自身の投影じゃないのですか」

「私の？」

胃でも悪いのか、なまり色の医師の顔を利光はあらためて見なおした。五十歳代の利光よりは十歳ぐらい年下で、ふるびた上衣《うわぎ》を着て、袖《そで》からのぞいたワイシャツのカフスが何度も洗濯に出したためにすり切れている。この男にも若い頃娘を愛した時期があったのだろうかと彼は瞬間、思った。そして、あまりに多くの人間の苦しみを見知ったため彼は利光のイエスと同じようにこんな疲れきった、すりきれた顔をしているのだろうか。

「ええ、あなた自身の投影じゃないのですか」

利光は黙りこんだ。作品に出てくる小禽《ことり》や犬がイエスのイメージだと言うのは、彼を論じてくれる批評家たちの考えだったし、利光自身もそう思っていたのだ。

「でも夢のなかで犬やロバは」医師はひくい声で、「いつも縛られているのでしょう」

「そうです」

「縛られているというのは……あなたも、何かに縛られていて……そんな束縛されている御自分の姿を犬やロバのなかに御覧になっているのではないですか」

「じゃ、私を束縛しているのは……たとえば、家族ですか、女房ですか」

利光は相手を少し馬鹿にしたようなうすら笑いをうかべた。彼にはそういう夢の解釈をいかにも精神分析医の俗的な見かたと感じたからである。だが医師は真面目《まじめ》に答えた。

「まだわかりません。でもこれからもここで今後、お話をしているうちに、お助けできるかもしれませんね」

不規則に半年ほど通ったが、医師はその束縛しているものを利光には話さなかった。話すよりも利光の口からそれが出るのをじっと待っているのがよく感じられた。それに気づくと利光の心に警戒がおき、その病院から遠のいていった。

兄や身内の死は一年ほどして諦《あきら》めがついた。不眠症はくたくたになるまで働いたりさまざまなことに手を出すことで治した。あれらは一時に身のまわりにいた者を亡くしたための一過性のものだったのかもしれない。

だが、その後もやはり彼は夢をみた。縛られたものの出てくる夢をみた。昨夜のように縛った箱をうらしま太郎のように懸命に何度も解いている夢。郵便物の束から必要な一通の手紙を出そうとして、紐の結び目と格闘している夢。さめてみれば、それは毎日の生活で起る何でもない出来事の再現とも考えられたが、「何かに束縛されているあなたの投影」というあの医師の、いかにももっともらしい言葉は利光の心の隅に凧《たこ》のようにひっかかっていた。気になるのは、医師が彼に言わすために口に出さなかった答を予想できたためだった。だがそのうちに利光はその思い出を抑えつけ忘れるように努力し、新しい小説にとりかかった。小説にとりかかっている間、彼はあの種の夢を見てももう特に考えなくなった。

だが作品を完成してふたたび夢が動きはじめた。

選衡委員の話が終り、もう一人、友人の小説家がユーモアをまじえて祝詞をのべてくれ、それから彼の名がよばれ、賞状や目録を渡された。これで授賞式はすべて終りだった。

「隣室でパーティの用意ができております」

とマイクの前で司会者が言った。「どうぞお移りになって、ごゆっくりご歓談ください」

会場にはテーブルや屋台が作られホステスやボーイたちが待機していた。人々のざわめきが小波《さざなみ》のように拡《ひろが》り、それは彼が今日まで文壇生活で何十回となく出席したものとそう変りはなかった。ちがっているのは、今日、彼が皆の好意に感謝する立場にあることだけだった。近よってくれる知人や友人に頭をさげ、礼をのべ歩き、挨拶《あいさつ》してまわった。酔いが少し体に拡がるにつれ、さっきの居心地の悪さも消え、やっと倖《しあわ》せな気持になった。

「ネクタイがゆがんでいるわよ」

髪を短く切った一人のホステスが近よってきた。それから、作ったような甘え声をだして、

「今日はあとで皆さんと店に来てくださるでしょう」

とたずねた。

「行くよ」

もう五十六歳の彼には銀座の酒場など一向に面白くもなかった。本当を言えば、このパーティがすんだあと真直《まつすぐ》に家に戻り、入浴し、眠りたかった。今夜、どれも同じような顔をして同じような話をするホステスたちの相手をするのは面倒くさい義務だった。しかしそうもいかないだろう。

「君はいつか、俺のことで変なことを言った人だね」

と彼は笑いながら呟《つぶや》いた。

「あら、わたくしが……何を?」

「はじめて君の店にYやMと一緒に行った時、君はこう言ったろ。YやMがあれをしている顔は想像できるが、俺のそんな顔は思い浮かばないって。そんなに男性の臭《にお》いがないのか、この俺に」

「そうじゃないの」

ホステスはあわてて自分の前言をうち消した。

「利光ちゃんは教会なんかに行っている人でしょ。だから、そんなはしたないことは想像できないって言うつもりだったの」

「教会に行く人間は」と利光はそのホステスの眼をじっと見つめた。「はしたないことを、しないと思うかい」

「そりゃ人間ですもの。するでしょうけど……そうね、……」と彼女は急に意地悪な顔をした。「逆に教会に行くような人は、もっといやらしいことを考えたり、したりするのかもしれないわね」

捨台詞《すてぜりふ》のようにそう言い残すと、彼女はそばを離れてたくさんの人の渦のなかに消えていった。

（教会に行くような人は、もっといやらしいことを考えたり、するのかもしれないわね）

少し酔った頭にその言葉が残っていた。残ったまま彼は右から声をかけてくれた出版社の人に笑顔をむけた。


いくつかの輪を歩きまわっているうち、利光は彼がさっきからひそかに探していた小ぶとりの兵頭の背中をみた。兵頭は小説を書く前にはドイツで精神医学を研究してきた医師だったからである。背をこちらにむけて彼は批評家で教師の高野と話をしていた。利光がそばによると二人は水わりのグラスをもったまま体の向きをかえて、おめでとう、と言ってくれた。

「急に変な質問をするけど、夢のなかで縄とか紐とかで縛ったものが出てきたら、どう解釈する」

酔った勢で質問をぶつけて兵頭の返事を待った。兵頭はびっくりしたように象のような眼をしばたたいて、

「そりゃ、派によって解釈がちがうさ。ウィーン派でもフロイトなら性的なことに還元するだろうし、アドラーなら人間優越感をそこに見ようとするし」

彼は利光の知らぬ精神医学者たちの名を次々とあげた。フェレンツィ、フェダーン、クライン……

「君自身はどう思う」

利光が迫ると、

「藪《やぶ》から棒に言われても答えようがないよ。その患者の境遇、過去や他の夢との比較によって解釈がちがうからな。でもなぜ、そんな事をきくんだ」

と兵頭は酸漿《ほおずき》のように赤くなった丸い顔に苦笑をうかべた。

「サディズムとかマゾシズムを連想しないか」

と利光はさっきのホステスの探るような眼つきと「もっと、いやらしい事」という言葉を念頭においてたずねると、兵頭はこちらの常識的な知識をあわれむよ

うに、

「人間の夢はね……そんなにすぐには性的なものと結びつかないんだよ」

「じゃあ、紐とか縄で縛ったものを夢に見る男は……いつも何かに束縛されているんだろうか」

「それは面白い考えだね。大いにありうるよ」

と兵頭はうなずいて、二人の話を微笑しながら聞いていた高野を会話に引きこむため、

「なあ、古代神話や古代呪術《じゅじゅつ》のなかでも、縛るとか、結ぶというのは、深い意味があるんだろう」

と言った。高野はうなずいて、

「そりゃそうさ。縛というのは古代神話や宗教では二つのちがった意味があるものね。自分が、疫病《えきびょう》、妖術《ようじゅつ》、悪霊《あくりょう》、死なんかに呪縛されて、そこから逃れられぬ時、古代人の表現は縛だし、またそうした悪霊や病気を村に入れぬ防衛手段として草や枝を村の入口に結んだりしたからね。利光だってアーメンだから旧約聖書

でよく神《ヤウエ》が誰かを綱で身動きとれぬようにするという表現が出てくるのを知っているだろ」

「ああ、知っている。ヨブ記やルカに出ていた。たしか悪魔が病人を縛るという言いかたがあった」

「それがそのいい例だよ。逆に病気や悪霊よけのため、松に紐を結んだりするのは折口さんの説にあるじゃないか」

「しかし……」

　と利光は少しためらった後、

「それは古代人の場合だろ。今の俺たちの夢に縛るものが出てきたからと言って、それが何かに束縛されている自分をあらわしていると言えるだろうか」

　高野も兵頭も、利光の声がちょっと真剣だったのでこちらを見つめて黙った。

　それから兵頭が、

「君は……そんな夢をたびたび見るのか」

　と急に作ったようなやさしい声でたずねた。利光はわざと平気を装《よそお》って、

「ああ、時々ね」

「それで……気になるのか」

「少しね。しかし、そうでもない」

「あまり深刻に考えないほうがいいよ。夢なんて、どうでも解釈できるんだから」

しかし兵頭が何かを感じていて、それをあの眼のたれさがった医師と同じように口に出さないでいるのが利光にもよくわかった。さきほどの受賞者席で感じたあの居心地の悪さ、うしろめたさが急にもう一度、苦しいぐらい甦《よみがえ》ってきた。ふりむくと、人の渦がみなこちらに顔をむけたような感じがした。そしてその渦のなかにさっきのホステスが探るような眼で遠くから彼を見ていた。その青いアイシャドウをつけて、髪を短く切った少年のような顔が彼にこう言っていた。（もっといやらしい事を考えたり、したりするかもしれないわね）利光は少し吐き気を感じた。

吐き気はそのあともつづいた。八時半頃パーティが終って利光は主催者の出版社の人たちに連れられ二軒の酒場をまわった。文壇の関係者がよく行く二軒目のバーにはさきほど別れた兵頭と高野たちも来ていて、そして二人のそばにあのホステスがつまらなさそうな顔をして坐《すわ》っていた。彼女は利光たちが彼等から少し離れたテーブルにいっせいに坐ると、立ちあがってこちらにやってきて、

「顔色わるいわ、気持わるいの」

「いいのかい。あの二人をほったらかして」

「何だかこむずかしい話ばかりしているんですもの、頭が痛くなっちゃう。利光ちゃんのことも話してたわよ」

「何て言っていた」と利光は二人のほうにちらりと眼をやって、「悪口かい」

「悪口じゃないわよ。あいつの小説にイエスさまはいるけれど、神さまのほうがよくわからないって」

「ふん、馬鹿馬鹿《ばかばか》しい」

「利光ちゃんって、本当に神さまを信じているの。どんな神さま、わたしなんか信じないことにしているけど」

「それより、今日の俺からも、女と寝た時の顔は想像できないかい」

「随分こだわるのね。でも、利光ちゃんって、悪いことって、やったことがないんでしょ」と酔った彼女はからかうような声を出した。「悪いことができない人でしょ」それから彼女は気弱な男の子を苛《いじ》める女の子のような眼つきをした。

「悪いことする勇気もないのね」

「悪いことって何だい。君たち女と浮気することか。そんなこと別に悪いことと思ってないぜ」

「威張っているよ、この人」

彼女は声をたてて笑った。それから急に真顔になってじっと彼の顔を見つめると、

「利光ちゃんみたいなアーメンをうろたえさせてみたいわ。悪い悪い世界に引きずりこんで……」

「悪い悪い世界を知っているのか、君がしている悪い悪い世界って……せいぜいお客の誘惑にのることぐらいだろ」

「馬鹿にしないでよ。そのせいぜいの勇気もないくせに。私の言うのはそんなくだらないことじゃないわよ」

利光は真剣になって彼女のほうに体の向きを変えた。ホステスはその気配に怯《おび》えたのか黙りこんだ。

「教えろよ。何が悪い悪い世界か」

「利光ちゃんにそこに行く勇気ができたら教えるわ」

彼女はイブがアダムを誘った時と同じ言葉を使って、また席をたつと別の客の場所に逃げていった。

また吐き気を感じて眼をつむった。眼をつむって酒場の喧騒《けんそう》を聞いているうち、ぽっくり抜けたようにその喧騒が耳から去って、彼は自分だけの想念に浸った。縄につながれたみすぼらしい犬や死にかけている小禽《ことり》、たしかにそれは彼の書いてきたイエスの変型だった。人間に見すてられたイエスのイメージだった。「あの女はあんなことを言っているよ」いつもの癖で利光はその彼のイエスに友人に話しかけるように話しかけた。「俺には勇気がないってさ」イエスは当惑したように黙っていた。「本当かもしれんな。俺はたしかに悪を覗《のぞ》きに覗いたあと、あんたのところに戻ったんじゃないからな。そりゃあ、あんたも知っているように浮気ぐらいは何度かしたさ。しかし、あんなものは悪じゃなかった。どろどろとした、いやらしい悪って、一体、何だろう。たしかに俺の小説のなかには、あんたが救えるような弱虫の罪人は出てくるが、いやらしい暗黒の世界や悪は描かれていないものね」

そして彼はあの医者にも話さなかったことを自分に呟いていた。「あんたはいつも俺がその暗黒の世界のほうに行こうとするのを妨げていた。俺の書いたあんたは優しそうなくせに俺を縛っていたからね。でもこの頃、俺は、あんたの縄を切って、いつもそばにいるあんたを突きとばしたい衝動にかられる時がある。今度の受賞した小説のような、あんたが蔭《かげ》から出てきてすべてを支配しはじめたような世界をぶちこわしたい欲望にかられることがある」彼は自分が時間をかけ、つみあげてやっと作った積木細工をゆさぶり、目茶苦茶にしてしまう子供のように思えた。しかしその衝動が近頃の彼の心に起るのも事実だった。

「気分でも悪いのですか」

彼が目をつむっているので斜めにいた出版社の重役が心配そうに声をかけてくれた。

「いいえ、とても愉快です」彼も笑いを頰につくった。

「楽しいのでつい吞《の》みすぎてしまいました」

立ちあがって店の隅にあるトイレに行った。途中で向うむきになった高野の肩を叩《たた》いて、

「聞いたぞ」とからかった。「俺の小説の悪口、言っていたんだって」

「悪口なんか言ってませんよ」高野が皮肉っぽく冗談で答えた。「今日は悪口なんか言う日じゃないからね。別の日にたっぷりするよ」

「ユングの話をしてたのさ」と兵頭が生真面目《きまじめ》に弁解した。「知ってるだろ。ユングが子供の時、バーゼルの大聖堂の広場で抱いた神のイメージを。神は王座に

坐っていて、ウンコをしているんだよ。神のウンコはバーゼルの大聖堂の屋根にあたり、その壁をこわした。子供のユングはその時もう神のなかに愛と、そんな不条理なことをする心があると考えたんだ。だが君の作品の神は……決してそんなあくどいことはしない」

「よく考えときましょう」

質問をうっちゃって彼はトイレに入り少し吐いた。吐いたあと手を洗いながら鏡にうつる自分の顔をみた。今日のため散髪屋に行ったにかかわらずもみあげの部分はすっかり白くなり、眼の下には老いをしめす醜いふくらみが出ていた。酒を過したせいか、眼のふちが赤くなって瞼《まぶた》を泣きはらした道化師の顔のようだった。彼はもう五十六歳だった。

(どうするんだ)

とその顔に向って彼は言った。

(このままずっと行くつもりか。あの同行二人のイエスと一緒に。そして縄は切らないのか。ぶちこわさないのか。今の世界をゆさぶって、ゆさぶってもお前のイエスがひっくり返らないかためしてみる。その時それが本ものだと思わないか……)

トイレを出ると、あのホステスがおしぼりをわたして言った。

「とうとう吐いたのね。少しだけど、そこがよごれているわ」

ある通夜

底びえのする夜、急いで親類の家にかけつけた。一つ年上の従兄《いとこ》が新宿で脳溢《のういっ》血《けつ》で倒れ、やっと身元がわかって死体となって戻ってきたからである。

それでも彼の弟夫婦の家には律儀《りちぎ》な十四、五人の親類たちが来ていた。私はすぐ棺のある部屋に行った。

棺の前で手をあわせ思わず眼をそらせたのは、親類の老女たちの喪服の小さな肩ごしに私とそっくりのあの頭が見えたからだ。棺のなかに私の死体が入っているような不快感さえした。前頭部が発達して額が禿《は》げあがった広い頭。私とそっくりだ。ちがうのは私が幾分、髪が薄いのに、死んだこの従兄は黄ばんだ乱れた髪で頭が覆《おお》われていることだ。生きていた時はいつも血ばしっていた眼の下に脂

肪のふくらみが出来ていたが、それが私と彼との二人の人生の違いのような気がよくしたものだ。だが少年時代には、

「あんたら、双生児《ふたご》かいね。ほんと、よう似とるねえ」

ある日、遊びにきた彼と私とを見くらべて、野菜を売りにきた老婆《ろうば》が少し薄気味わるそうに言ったほど似ていたのである。彼が私の家から私とおなじ中学に通った二年間、教師にも生徒にも同一人物と間違われたことが何度もある。

「高《たかし》さんも、血圧が高かったんだから、なにも寒い夜に外に出歩かんでもねえ」

「仕方ないさ。勝手放題に生きて死んだんだから、本人だって文句は言えないだろ。しかし五十七歳という年齢は今どき若いな」

背後でひそひそ声が聞えた。そんな声にも従兄の死を悲しむというよりは、その得手勝手な生きかたを咎《とが》める口調があった。高さんが我々親類から消えたことに、むしろホッとしている口ぶりさえ感じられる。

高さんがむかしから親や年上の親類たちの頭痛の種だったことはたしかだ。医者や学者など比較的かたい職業の多い私の血縁にとって、恥ずかしいことで二、

三度、新聞にも載せられた高さんのような男は、はじめは迷惑至極な存在であり、やがてはあまり話題にしたくない縁者になっていった。次から次へと仕事を変えた高さんは詐欺《さぎ》をやって三面記事にのった事も二、三度ある。そのたびごとに私たちは彼とは関係などないような顔を世間にしたし、冠婚葬祭で集った時にも、できるだけ会話に高さんの名をのぼらせることを避けるようになった。特に私は自分の容貌《ようぼう》がある年齢まで高さんに似ていたために、実は彼に嫌悪《けんお》感をずっと抱いていた。私は彼の血ばしった眼、時には魚の眼のようにみえる眼が嫌だった。自分も同じような顔つきをするのではないかと不快で、その気持は——そう、たとえば異国の小さな街で偶然、眼鏡をかけカメラをぶらさげた日本人とすれちがった時、自分もまたその日本人であるため懐《なつか》しさより不快感のほうがさきだつ——あれよりもっともっと強いものだった。

だが棺のなかを覗《のぞ》きこんだ私の前の女性が、

「高さん、安らかな顔をしているねえ」

と思わずつぶやいた時、それは死んだ彼にたいする最初のいたわりの言葉のようにさえ思われた。

勇気をだして覗きこんでみると、たしかに造花に埋った死顔から五十七年の人生も生活も消えさっていた。無道徳で無軌道な行為を幾度もくりかえした男の死顔とは思えなかった。死後一日もたっているせいで（死体は行き倒れで監察医務院に運ばれたためである）もう蠟《ろう》人形のように変貌し硬直してしまったせいもあったが、あのいつも血ばしっていた眼はしっかりと閉じられていたし、情欲の強さを思わせた脂肪のふくらみもしぼんだように思われた。

最後に会ったのはいつだったろう。そう、昨年、私が出版社の若い人と原宿の喫茶店に行った時で、店は女子中学生や高校生ぐらいの女の子たちで占められていて、年寄りの私は場ちがいな気がした。

「この子たちは原宿族と言って」と出版社の若い人が何も知らぬ私に教えてくれた。「昼間から学校や勤めを休んでこんなにうろうろしているんですね。雰囲気にのぼせちゃってるんです」

　仕事の話を終えて外に出た時、急に肩をたたかれた。ふりむくとおカマ帽をかぶった高さんが立っていた。我々二人があまりに似ているのでびっくりしている出版社の人に、

「従兄でしてね」

　仕方なく彼を紹介した。出版社の人と別れると、私と高さんとは、同じ店の同じテーブルに二人だけで腰をおろした。

「出版社の社員か。……景気がよくて結構だね」

　彼は本気で言っているのか、からかっているのか、わからぬ調子で、

「この間も、新聞でみたら君の本がベストセラーのなかに入っていたね。なんだっけ、『イエスの生涯』」

「いや、送らなかったのは高さんにはもう詰らない本だろうと思ったからで……」

「紙と鉛筆があれば儲《もう》かるんだからいいなあ。結構やっているじゃない。イエス

さまも君の飯の種になって……」

彼は周りの女子高校生に向けていた顔をこちらに戻してニヤッと笑った。昔から私をからかう時、こちらの心を見透すような高さんの笑いかただった。

「本当に本気で信じているのかなあ。いい加減に本音を吐けよ」

高さんは魚のような眼で私をじっと見た。

「本音？」

「そうさ、自分にウソを言わず……」

「本音に見えないかね。ぼくの書いたものが」

「そうたくさん読んだわけじゃないからね」

私は不快で眼をそらせた。眼の前に昔は双生児《ふたご》と間違えられたほどよく似ていた男が腰かけている。もう一人の自分とも言いたいその男からお前はニセ者だと言われた時、他の誰に言われるよりも何ともいえぬ憎しみがこみあげてくる。高さんは私が不機嫌になったのを敏感に感じ機嫌をとるように、

「この店、はじめてかい」

「ああ」

「俺は時々、来るよ」それから声をひそめて「この店にくる女の子たちはすぐ寝るんだ。靴か洋服を買ってやると言うとね。誘ってみないか」

「……」

「俺もね、ここで中学生の女の子と知りあってね。その女の子と寝たよ」


高さんは若い時、結婚して失敗した。離婚したあとずっと一人者だった。子供はいない、色々な仕事に手を出したが何が定職かわからなかった。私立探偵みたいな仕事をやっていて、その話をしてくれたこともある。だがこの五年間ぐらいは彼に仕事のことをたずねる親類もいなくなった。だから今夜の喪主は彼の弟夫婦である。高さんが信仰などとっくに失ったのに、棺の上にはやっぱり十字架がおいてあるのは、彼の弟も私たちの一族の大半と同じように家ぐるみの信者だからだ。

皆の集っている別室にいくと、ここにも喪服の男女がビールやジュースを飲んだりサンドイッチをつまんでいて、

「血圧が二百前後なら爆弾をかかえているようなものだよ」

と誰かが高さんの体のことを話していた。私は肝臓を悪くしていたからジュースをコップに入れて皆の話をきいていた。

「でも動物を描くのがうまかったんじゃない。競馬に行くのも賭《かけ》よりも走る馬が好きだからって」

「動物を描くのはうまかったわね。絵の学校に行けばよかったのよ。それなのに伯父さんがどうしても美術学校にやるのを反対したもんだから。あれでグレたと伯母さんが言っていたわ、最初は……」

皆は高さんの父と高さんとの昔の確執をひそひそと話しあっていた。一族のなかでも特に頑固な信者だった高さんの父親は息子が裸体などを描く画塾に行くのをどうしても認めなかった。それが少年時代、彼が不良になった理由の一つだという。そうだろうか、少年の頃からたしかに高さんは動物を描くのがうまかった。

犬でも猫でもさらさらと巧みに描くのだった。が、あれは表面だけのことだ。それは私が知っている。

はっきりと憶《おぼ》えている。彼が中学三年で私が二年生の春休み、二人で近所の畠《はたけ》から蛇をとってきた。灰色をした青大将で、高さんはその尾っぽをつかまえくるくると振りまわし、眼をまわさせてから、

「おい、バケツを持ってこいよ」

と言った。

何もわからず私が見つけたバケツにその蛇を棒で無理矢理に押しこんで板で蓋《ふた》をすると、高さんはどこからか耕作トラクターの石油罐《かん》を探してきた。そしてバケツのなかにゆっくり油をそそぎこんだ。

「何をするの」

「まあ、見ていろ」

彼は大人のようにうなずいて、ポケットからマッチをとりだしてこすった。彼が何をやるのか、もうわかった。わかったが、やめろとは言わなかった。私の心

のなかにも高さんが見たいと思っている光景を見たい欲望が疼《うず》いたのだ。バケツにのせた板をとり、火のついたマッチを彼が素早く放りこんだ。鈍い音と共に炎が燃えあがる。炎のなかから銀色の蛇が体をくねらせ、バケツにぶつかりながら必死で逃げだそうともがいた。もがくその蛇を炎が追いかけ包みこむ。と、蛇の体は螺旋《らせん》を描きながらバケツの底に沈み、その底からじゅうじゅうという音と嫌な臭《にお》いがのぼってきた。数秒のことなのに何分間もの出来事に思え——頭にしびれるような快感があった。

「面白いだろう」

と高さんは上眼づかいに私の反応を窺《うかが》った。黙っていた。黙っていたのは、今、自分たちがやったことは、嘘《うそ》をつくことや盗みをするより、もっと悪の匂《にお》いのする行為であるような気がしたからだ。だがそれはいやらしい故《ゆえ》に性的な快感が伴っていた。

「誰にも言うな」

「わかった」

その後、高さんとは何度か蛇やトカゲをつかまえてバケツのなかで燃した。何匹ものトカゲを一緒に焼き殺すとバケツのなかではねまわる音がした。生命《いのち》の充実したものを破壊する悦《よろこ》び。我々はそれを罪とよぶ。しかし罪のなかに何という快感がひそんでいるだろう。

ずっとあとになって、(高さんが十八、九歳の頃だ) 彼が幼女に悪戯《いたずら》をしたという事件があった。親類の有力者が穏便にしてもらう努力を警察にしなければ、裁判沙汰《ざた》になっていたろう。だが私は幼女を傷つけた彼の心理と蛇に火をつけた彼の心理とには同じものがあったのだと思う。生命の充実したものを傷つけたり破壊する悦び、それは彼にあったが、この私にもないとは言えない。小説家の私はおなじ快楽を作中人物の運命を支配することで味わっている。私と高さんとはちょうど「あんたら双生児かね」と野菜売りの老婆が我々をみくらべて言ったように、原型は同じなのだ……。

待っていた外人神父がやっと来てくれた。もう日本に二十年もいて、我々親類には親しい人で、

「あら、肩に雪がついていますよ。雪になるような気がしていたけど」

「気がつきませんでした、わたしは」

玄関に出た従姉《いとこ》の一人とそんな会話をかわしてから、この老神父は身支度をするため別室に連れていかれた。私たちも棺を置いた部屋に戻ると、さっきと同じようにきちんと端座して高さんの弟夫婦が、申しわけなさそうに頭をさげた。やがて神父が姿をあらわし、我々も跪《ひざまず》いたが、そんな皆を見て、高さんがどう思うかが気になった。高さんはいつも我々が冠婚葬祭のたび教会を使うのを馬鹿《ばか》にしていたのだから。

まず大きなハンケチを出して外人神父は音をたてて鼻をかんだ。それから、おもむろに聖書の一節を朗読した。

「神は悪人の上にも善人の上にも……太陽をのぼらせ、正しい者の上にも、正しくない者の上にも雨をふらせてくださる」

神は悪人の上にも善人の上にも太陽をのぼらせ、雨をふらせる。その言葉が私に、さっき見た高さんの死顔を甦《よみがえ》らせる。あの死顔はもう血の気も微塵《みじん》もなく、蠟細工のように変容していたが、そのために血走った眼も閉じられ、瞼《まぶた》の下の露骨なふくらみも目立たなくなっていた。死が彼の人生の証拠をすべて消し、死顔を見る限り、神は高さんの生前の不品行を問題にもせず、そこにも雨を静かにふらせているように見えた。私にはそれがやっぱり恨めしく不合理のような感じがした。高さんの血走ったような眼や情欲の臭いのする瞼の下のふくらみは結局何の意味もなかったのか。

血走った高さんの眼といえば、いつか彼が見せてくれた八ミリ映画のことを思いだす。

彼はその八ミリを親類の男たち何人かを集めてわざと映したのだ。それは私の甥《おい》の結婚式のあとで珍しく高さんも披露宴によばれていた。披露宴のあと、私たち何人かの男たちを高さんが二次会に誘った。「つまらない所で飲むぐらいなら、俺の知っている所に行こうよ」

初夏の夜で私たちは披露宴の酔いも手つだい、うきうきとタクシーに乗った。露《あら》わに口にはしなかったが、平生には行けぬような場所に高さんが連れてってくれるのをひそかに期待していたのだ。そのくせ、そんな気持を我々は平生は疎《うと》んじている高さんにやさしくしているのだという口実にすりかえていた。

だが案内してくれたのは新宿西口の裏通りにある、どこにでもある自然食品を販売する店の二階だった。二階はガランとしてダンボールが幾つもおかれ、箱をしばる縄の臭いが漂っていた。我々をしばらく待たせて、彼は階下で何かを相談していた。やがて若い男がコップやウィスキーの瓶を持ってきて皆にくばり、高さんは映写機の準備をはじめた。

もう言われなくても何がはじまるかはすぐわかった。我々は困った顔をして黙りこんだが、しかし一人として帰る者はいなかった。私もその一人である。

電気が消され、壁に白い映像が焦点をさがして動きまわった。やがて位置がきまるとそれは動いている人間の姿に変った。

「作りもんじゃないよ、実写だぜ」

映されているのはその種のマニアの集りで黒布で覆面をした中年の男が全裸の若い娘の手足を縛っていた。縛りかたが執拗《しつよう》に映される。更に娘の顔に黒い洗濯鋏《せんたくばさみ》が次々とつけられ、やがて女の顔はまるで蓑虫《みのむし》のように変っていく。痛がっている表情をアップにする。映写機のそばには高さんが笑って立っていたが、その笑いは我々をけしかけているか挑んでいるようだった。フィルムが音をたてて切れ、映像が消え、ウィスキーを運んできた若い男が電気をつけると、ダンボールの縄の臭いがさっきより強く鼻についた。

「面白かったろ」

みんな返事をしなかった。

「こういう別世界もあるということをお目にかけようと思ってね」

高さんは次のフィルムを準備しながら私たちの沈黙を楽しんでいた。

「こんなものを見せるから、俺、親類にも嫌われるんだよなあ。しかし、人間の心なんて神父さんの言うようなもんじゃないよ。ドロドロしてさ、今、うつったようなものだってあるんだ。そうだろ、あんた小説家なんだから」

と私に声をかけた。

「ああそうだ」

「じゃあ、そういうものも、はっきり肯定すればいいのに」

「そういうもののあることを否定はしていないよ」

「しかし逃げ腰になっているじゃないか。あんたのなかにも今みたいな欲望があるんだろ。ここにいる皆もかくしたって駄目だ」

「どうして、そんなことがわかる」

「人間だからさ。それにこの俺にあるということは血のつながったあんたたちにもあることだし。待ってろよ。今、もっと面白いフィルム見せてやるから」

映像のなかの男の背中が浮かびあがる。半裸の高さんだった。高さんはさっきの中年の男のように黒布で顔をかくさず、縄を手に持ってうずくまった娘の前に堂々と立ちはだかっている。高さんの背に汗の粒が光っている。カメラが女を縛っていく高さんの表情を追っていく。娘を見ている高さんの眼が魚の眼のようだ。

思わず視線をそらせた。俺にあるということは血のつながったあんたにもあることだ。私はたしかにフィルムで欲望を刺激されたが、それを正面《まとも》に肯定するのが不快だったから視線をそらせたのだ。他の親類の男たちもおそらく同じ気持だったろう。

だが今、外人神父が朗読する聖書を聞いている者のなかに、あの時、一緒にフィルムを見た二人がまじっていた。彼等も私と同じように眼をつぶって跪いている。それでいい。だからと言って彼等やこの私を偽善者だとは思わない。そんな割り切りかたをするほど若くはない。死は高さんに訪れたようにいつか私にもくるだろう。

高さんの眼が魚の眼そっくりになる時は彼があの蛇を焼き殺した時とおなじような快感を味わっている時ではないだろうか。その眼を原宿の喫茶店で久しぶりに会った時、私はまた見た。周りには一人前の女になりきらぬため、何ともいえぬ体臭が不恰好《ぶかっこう》な制服からにおっている女子高校生たちが、ジュースやアイスコーヒーを飲みながら騒いでいた。

「こいつ等より、もう少し子供だね……まだ女子中学生で……俺がつかまえたのは」

高さんは例によってこっちの反応を探るように上眼づかいに私を窺って、

「子供だと思ってこっちも高を括《くく》ってたんだが、閉口したよ。中学生だからこっちに夢中になってきた」

「不良少女か」

「不良だがちゃんとした家庭の子だったよ。時々、何か買ってやったが、ある日この子が日記を見せてくれてね」

その時、ずっと前に読んだスタヴローギンの告白のことが急に心にうかんだ。スタヴローギンも高さんと同じように未成熟の女の子を凌辱《りようじよく》した。だがスタヴローギンの告白の苦しい調子とちがって高さんのほうはのろけるように自慢するように話している。

「小説家のあんたなら、きっと参考になったよ、その日記は。借りて見せてやろうか」

そんなもの見たくないと言うべきなのに、私はそうは言わず好奇心にかられ、ものほしげな顔をしたことは確かだ。

「絵入り日記でね、本人の下手糞《へたくそ》な絵が日記のなかにあちこちに描いてあって」

「……」

「面白いのはな、俺を知る前のこの子の自画像はどこにでもある少女雑誌の主人公みたいで、長い髪の眼の大きな無邪気な顔をしているのに、俺と知りあってからは……その自画像が次第に陰惨になっていくんだ。無意識でそう描いているんだろうなあ」

その時も、高さんの眼が魚の眼のように変った。魚の眼の持っているあの残忍で自分の餌食《えじき》しか見つめていないエゴイスティックな眼になった。私は思わず、これこそたしかに悪の眼だと思った。

「変化が手にとるようにわかるよ。俺はそれを発見してゾクゾクしたよ」

「……」

背後で女子高校生たちのぞんざいな言葉と笑い声がまた聞えた。なぜか、その時、私は作中人物をつくりあげている時の書斎での私の顔のことを考えていた。暗い湿った私の仕事部屋。日中もカーテンをしめきって机のまわりは足の踏み場もないくらい乱雑だ。その暗い部屋で私は時には二日も三日も作中人物のことを考えつづける。あの時の眼はひょっとすると、この高さんの眼と同じなのだろうか。私もまた人物の心の動きが手にとるようにわかった時、ゾクゾクするのだからら。欲望の原型は高さんも私も同じなのだ。私はただその欲望を小説を作ることで充《みた》している。

「いつか借りてやろうか。その日記」

私はもう一度、ものほしげな顔をした。その女子中学生を憐《あわれ》む気持より、彼女の日記を覗《のぞ》きたい欲望のほうが、たしかに強かったので……。

祈りが終って、またサンドイッチやビールを並べた部屋に戻った。私は神父さんの隣りにすわって、彼のコップにビールをついでやった。

「あなたの本は読みましたよ。『イエスの生涯』。いい本です。あれは信者さんたちにも奨めています」

人のよさそうな微笑をたたえて神父さんは言ってくれた。その微笑があまりに無邪気なので、私はそれを傷つけたくなった。たとえば、高さんの笑いを連想し、私たちが蛇を焼き殺した話や、高さんの映画をみて刺激を受けた話をすれば、(その男が「イエスの生涯」を書いたのだから)この微笑はどうなるだろうとふと思った。

「神父さん」

「はい」

「さっきの言葉ですけど……神は悪人の上にも善人の上にも太陽をのぼらせ、雨をふらせてくれるとは……あれ、どういう意味ですか」

「それは、私たちにはどの人が善人で、どの人が悪人か裁いたり決める資格はないと言うことでしょう。誰だって他人の心の底はわかりませんですし、善人にみえる人の本心も、悪人にみえる人の本心も、わかりませんです。自分だって自分の本当の心がわかりませんですから。それを見ぬけますのは神さまだけです。そういう意味と思います」

仕事が残っていたから少し早目に立ちあがり、帰りがけに棺のおいてある部屋に戻った。誰もいなかった。さっき皆が坐《すわ》っていた座布団《ざぶとん》だけが乱雑にまだ並んでいた。今度は不快な気持をそれほど感じず、もう一度、そっと棺のなかを覗いた。私とそっくりの少し禿《は》げあがったひろい額。私の顔と彼の顔がよく似ているように私のある部分は彼であり、長い間、彼は私の影だったのかもしれぬ。そんな気さえした。だが私の影はもう影であることを終えたように、永遠に眼をしっかりとじている。生きている間は血ばしっていた眼を。この従兄《いとこ》との関係はこれで終ったのだ。

玄関でたくさんの靴のなかから自分のものをみつけて外に出た。誰も送ってこなかった。

門燈《もんとう》の光のなかを粉雪がまるで走りまわる子供たちのように降っているのが見

えた。タクシーの走っている表通りまでの路《みち》は霜でもおりたようにほんのり白い。人影もない。靴音をたてているのは私一人である。「太郎を眠らせ、太郎の屋根に雪ふりつむ」昔よんだ詩を思いだし、噛《か》みしめた。「太郎を眠らせ、太郎の屋根に雪ふりつむ……。次郎を眠らせ、次郎の屋根に雪ふりつむ」

六十歳の男

老いのせいか、このところ眠りも浅くなり、一夜で幾つもの夢をみるが、その夢のひとつ、ひとつは独立していて、ひとつを見おわるとすぐ眼がさめる。眼がさめるとしばらく闇《やみ》に眼をみひらいてやがて来る自分の死のことばかり考える。私も今月で六十歳になった。

この間、こんな夢をみた。暗い部屋である。芥川龍之介と向きあっていた。芥川はよれよれの灰色っぽい単衣《ひとえ》を着てうつむいたまま腕をくんでいる。彼は一言もものを言わなかったが、急に立ちあがり背後にある簾《すだれ》をつきぬけて隣室に入った。その隣室が死者たちのいる世界だと私は知っていたが、まもなく簾をふたたび通りぬけた芥川はこちらに戻ってきた。それで眼がさめた。眼がさめたあと、こんな陰気な夢をたびたび自分がみるようになったのはなぜかとぼんやり考えていた。横で妻が平和な寝息をたてていた。

もちろんそんな夢の話など妻にはいわない。話したって彼女の興味をひくまい。長い間私は自分の家庭では、（自分の口から言うのもおかしいが）かなりいい夫、いい父親のマスクをつけてきたつもりだ。しかしつけたとしてもそれは別に無理をして自分にないものを演じてきたわけではない。私の性格には他人にたいして本能的にやさしいものがあったからだ。だが、いい夫、いい父親の顔だけがもちろん私のすべてではないし、家族の知らないもう一つの顔だってある。こんなことはどんな夫にも言えるだろうが……。

朝十時、毎日きまってこの原宿にちかい仕事場の鍵《かぎ》をあけ、カーテンをしめきった四畳半ほどの部屋に入る。紙や辞書や本が乱雑に散らかった机の前に腰かけると、私は誰にも気がねをしない自分だけの顔になる。その顔は、私が毎夜みる夢とおなじように陰気なものだろうと思う。仏教でいう無明《むみよう》の顔とはおそらくこういう顔を言うのではないだろうかと鏡に向って思う時がある。救いをもとめながら光をまだ見つけられぬ世界、夢のなかに出てきたあのうつむいた芥川龍之介の顔。

その顔で小説にとりかかる。小説にとりかかるといっても、六十になると締切に追われるような仕事はもうあまりしない。今、やっているのは十五年ほど前に出版した「イエスの生涯」をもう一度、徹底的に書き直すことだが、どこの出版社で出してもらうかは決めていない。

十五年前の私の「イエスの生涯」を読むとやはり不満足だ。浅薄とは言わないがやはり四十五歳ぐらいではまだ聖書をよく読みきっていなかった。ひとつひとつの言葉を自分の歯で嚙《か》みくだいておらず色々な西洋の学者の解釈の上に乗っかっている部分がたくさんある。

たとえばイエスが昨日まで彼を歓呼してむかえた者たちから、なぜ見棄《みす》てられ、見棄てられただけでなくサディスティックな扱いをうけ、苛《いじ》められ、叩《たた》かれ、唾《つば》かけられて殺されていったかを、私はたんなる群集心理によるものとしてしか考えていなかった。愛を説いたイエスは政治犯として殺されたのはたしかだが、なぜ、イエスを皆はいじめたくなったかを深く考えようとはしていなかった。

そんな不満が十五年前に書いた本を読みなおしてみると、あちらの頁《ページ》、こちらの頁から次々と起ってくる。もっとも十五年前、その「イエスの生涯」を毎日、執筆したのも、この湿気のある小さな仕事部屋で（私は四畳半ぐらいの部屋に昼でもカーテンをしめきって坐《すわ》っていないと仕事ができないのだ。部屋の適当な暗さと適当な湿りけが私に母の子宮にいる解放感を与えてくれる）その頃、私は新約聖書のなかに次々と感じる疑惑や問題が、十年もたてばとり除かれ、すべて素直に信じることができるだろうと楽観していた。だが十年後、いや十五年たって六十になった今も、私のなかに確たる安心感は依然としてなく、疑いの青い業火《ごうか》が時にはもっとみじめに燃えあがってくることもある。

十五年前からこの小さな部屋はほとんど変っていない。机も椅子《いす》も、机の上においてある置時計やスタンドや中国の筆立てもそのままだ。壁には二十歳代の留学の折にリヨンから買ってきた古地図が幾つか額にいれて飾ってある。机の上にかがみこむようにして三Bの鉛筆を使って書く癖はむかしも今も同じである。しかし、四十五歳の頃は使わなかった老眼鏡が今はなくては仕事ができない。眼だけではなく体自体がこの十五年の間、少しずつ老いに嚙まれ、蝕《むしば》まれ、衰えた。むかしは何時間、この椅子に腰かけても平気だったのに、今は二時間もおなじ姿勢でいると、腰から腿《もも》のつけ根のあたりがじわっと痛みはじめてくる。三年ほど前から坐骨《ざこつ》神経痛にかかった。

神経痛が痛まぬよう、仕事部屋から午後きまった時間に散歩に出かける時は、腰のポケットにカイロを入れて少し厚いコートを着る。近くに代々木公園とNHKの大きな敷地と広場とがあるから、そこでは車に邪魔されずに散歩できる。だがこのところは若い母親たちが子供をつれて遊びにくる代々木公園にも、若者がバドミントンを練習しているNHK広場にも行かない。真直《まっすぐ》に原宿の表参道に向っていく。

実は表参道の裏通りにスワンという喫茶店があり、そこで午後三時ぐらいから一時間ちかく窓ぎわの席に坐るのがこの冬になってからの習慣になった。窓ぎわに腰かけるのは、窓からみえる向い側のケーキ屋に、三時すぎになると学校がえりの女子高校生たちがアイスクリームを買いにくることを知っているからだ。観察していると、彼女たちはグループの時は、はしゃいだりおどけたりするくせに、一人でこの路《みち》を歩いている時は滑稽《こっけい》なほど人の視線を意識している。それがおかしい。

時折、不良っぽいのが三、四人、この喫茶店に入ってくることもある。彼女たちが不良っぽいというのは、学校で禁じられているであろう喫茶店にセーラー服で入ってくることでもわかるがその言葉づかいや、わざと長目にしたスカートで何となく私のような老人にも感じられるのだ。彼女たちが他の生徒を尻目《しりめ》に店のドアを挑むようにあけ私のそばを通りすぎる時、春になった頃の林に入ったような生臭い臭《にお》いが鼻につく。はじめ、それが制服のせいかと私は思っていたが、やがてそうではなくこの年齢の女の子の体臭であることがわかってきた。

彼女たちはしゃべりにしゃべりつづける。こちらのわからぬ妙な言葉もその会話にたくさんまじる。彼女たちの間では男の子のことをベッチョ、メンスのことをE・T、宿題のことをデボと言うのだとわかってきた。言葉は男の子のようであり、ぞんざいで時には動詞を省略したり、単語だけを並べておたがい意思が通じるらしい。化粧を禁じられたその顔は、にきびがでていたり充血したように頬が赤い。しかしその顔と首には、二十二、三歳をすぎた女ではもう消えてしまうであろう初春の林にこもっているあの生命の疼《うず》きが感じられ、思わず私がはっと眼をつぶることもあった。

二十年ほど前に一人の老人と話したことがあった。老人は浮世絵の学者だったが、大学での講義が終ると家に戻り、鬘《かつら》をかぶり、ジーンズをはき、黒いサングラスをかけて、若者の姿でゴーゴーをおどりにいくのだった。「どうしてそんなことをなさるんです」とたずねると照れたように苦笑して答えた。「暗い地下のホールだし、みんなゴーゴーに夢中で、だれもわたしを老人と思いませんしね。二十歳前の娘だって一緒におどってくれるんですよ。その娘たちがおどりながら首すじのあたりが少し汗ばむでしょ。ほのかに汗の匂《にお》いがするんです。その汗の匂いには、その年齢以上の女にはないエロティシズムがあるのです。わたしはね、こう眼をつむって、その匂いを心ゆくまで吸いこむんです」

あの老教授と話した時、私はまだ四十歳そこそこで、年をとることの哀《かな》しみと孤独を実感をもっては理解できなかった。しかし彼とおなじ年齢になった今、この私にはわかるのだ。二十歳前の娘の汗の匂いを眼をつむって吸いこむ気持が。やがてこの世から訣別《けつべつ》せねばならぬ身が絶頂期の命の匂いを必死で吸いこもうとする気持が……。私も窓ぎわの席から、その話を思いだしながら女子高校生をぬすみ見る。

私の視線をあの子たちがどれくらい知っていたか。いや、この小悪魔たちは本能的にちゃんと承知していたようだ。承知してわざと素知らぬ顔をして会話をつづけていたのだろう。そしてある日、私が聞くともなしに彼女たちの会話を聞いていると、

「だってさ、彼だって気があるんだろ、おナミのこと」

と一人がいった。

「知らない」

と相手が答えた。

「チョコレート送ってやったら、ヴァレンタインの日に。反応を見たらいいじゃん」

おナミとよばれた女の子は眼のほそい子だった。ニッと痴呆《ちほう》的な笑いかたをした。しかしその顔は中学生のようにあどけない。彼女は返事をしないで立ちあがると奥にあるトイレに行った。「あれ、あれ、気どっちゃって。カマトトぶって。いつもあれだからさ、松田先生もだまされるんだよ」友だちがうしろからからかうと、トイレに入りかけた彼女はまたニッと笑って扉のかげから上半身をだし拳《こぶし》をふりあげた。それはこの子たちにとって何でもない会話であり動作だったが私の心に瞬間、言いようのない感覚が走った。

なぜそんな感覚を感じたのか。その時はわからなかった。しかし原宿から仕事場に戻る代々木公園にそった広い坂をおりながら、私は昔、どこかでさっきの光景を見たような気がした。そしてあの時も同じような感覚をおぼえた気がした。

だがどこでと言うとこれがわからない。夢で見たような風景を前にした時に感じるあのもどかしさを味わいながら仕事部屋の扉をあけた。机の前に腰かけた時、ドストエフスキーのスタヴローギンの告白を思いだした。そうだ、さっきの女の子の動作は「悪霊」の主人公スタヴローギンが十二歳の少女マトリョーシャを犯した場面に書いてあったことに似ていたのだ。

スタヴローギンは夏の夕暮、両親の不在を承知の上で少女マトリョーシャの家をたずねる。そして彼女を凌辱《りようじよく》する。事が終ったあと、この子は大きな目をひらいて彼を見すえた後、突然、あごをしゃくりはじめ、小さな拳をふりあげて威嚇《いかく》の動作をした。そして便所の隣りにある鶏小屋のような小さな納屋《なや》で首をつるために部屋を出ていく。スタヴローギンはそこで彼女が何をするか予感しながら、動こうともせず窓辺においてあるゼラニュウムの葉の上を這《は》う小さな赤い蜘蛛《くも》を凝視していた。

その出来事があって四年後、ドイツを旅していた彼はクロード・ロランの絵の夢をみた。絵は地上の楽園を夢みて描いた作品だった。「そこにはすばらしい人が住んでいた。彼らは幸福に汚《けが》れも知らず日夜を過していた」とドストエフスキーは書いている。「森は人々の楽しい歌声に充《み》たされていた。太陽は自身の子供たちを楽しげに眺めながら島々や海にさんさんと光をそそぐ。ふしぎな夢、かつてあった夢のなかで最も信じがたい夢想。けれども全人類はそのためにこそ、おのれの全生活を、おのれのすべての力を捧《ささ》げてきたのであり、そのためにすべてを犠牲にし、そのために十字架の上で死に、おのれの予言者を殺したのだ」。だがその瞬間、スタヴローギンはその輝く光のなかに、その楽園の光のなかに彼に向ってあごをしゃくりながら、小さな拳をふりあげて、熱をもったように眼を光らせていたマトリョーシャの幻を見た。彼は烈《はげ》しい衝撃をうけた。

この箇所をはじめて読んだのは、そう、四十年前の学生時代だ。駅に停車し発車する国電の音がたえ間なくきこえる信濃町《しなのまち》の下宿で、その時スタヴローギンに何ともいえぬ薄気味わるさをおぼえた。何もしらぬ何のけがれもない少女を犯す行為が、嫌悪《けんお》感と共に強い好奇心もそそった。そして今、「便所」と「拳をふりあげる少女」が、私にその連想を蘇《よみがえ》らせたにちがいない。

以後、スワンに行き窓ぎわの席に腰かけて、あの女子高校生のグループのなかからその子を見つけるたびに私はそのことをいつも思いだした。六十歳になる老人が、十六、七の一人の女の子をそっと盗み見ている。いつかの老教授の話を我が身に引きつけている。言葉づかいがだらしなくニッと笑う顔が痴呆的でそれゆえに他の子たちよりも少女マトリョーシャを連想せしめるような、表情をちらと走らせるその子にだけ好奇心を持っている……。

一週に一度、この仕事場に老妻が来て掃除をする。その日は私は仕事場に一人いる時とはちがう顔をする。いや、その言いかたは正しくはない。正確には家庭での私に戻ると言ったほうが正しい。なぜなら、そこには何の無理も芝居も偽善もないからだ。

一緒に昼食をとったあと、二人で散歩に出かける。だが妻を一度もあのスワンに連れていったことはないし、女子高校生のことも話したこともない。そんなことは私と彼女の三十年にわたる共同生活に関係がない。今年の冬は暖かく、走ってくる自動車を避けながら歩いていると、二人の肩にやわらかな陽があたって気持いい。

ＮＨＫ広場の隅にあるベンチに腰かけ、遠くでバドミントンの練習をしている若者を見ている。老妻もそれを眺めている。彼女が今、なにを考えているのか、わかるような気がする。ずっと昔――そう、ずっと昔、私たちにもその青年とおなじ年齢の時があったが、その頃、二人はおなじ大学だった。三十五年の間、私が長い病気をしたり、一緒に外国に行ったり、時には慰めあったり、おたがいのエゴイズムで傷つけあったり、要するにすべての夫婦にあるたいていの事は経験した。そして今、まぶたに少し重いぐらいのやわらかな陽ざしを背にあび、二羽の小鳥のように並んでベンチに坐っている。「わたしたちは何も言わなくても、おたがいを知りつくしています」と、留学していた頃、下宿の門番のフランス人老夫婦がそう言っていたが、急にあの言葉を思い出す。だがそれは間違いだということも、六十歳になってやっとわかる。夫婦だって相手のすべては知りつくしているのではない。しかし、そんなことを話したところで妻はつらそうな顔をするだけだろう。娘時代とちがって髪には銀色のものがたくさんまじっている老いた女を今更、苦しめる必要はどこにもない。

「わたし、もう帰りますよ。かまいませんか」

「はいはい。今夜は七時頃かな、戻るのは」

彼女がいなくなると、ふたたび仕事部屋は私だけのものとなる。電気ストーブからしずかに湯気がたっている。私は「イエスの生涯」の処刑の場面を書きなおす。その場面に接近するために妻もつれて三度、四度と足を運んだエルサレムの旧市街を思いだそうとする。イエスの時代とは街は変っているが、しかし当時の雰囲気は旧市街にまだ残っていた。驢馬《ろば》の糞《ふん》や尿でよごれた小路が、よごれた壁にはさまれて折れたり袋小路《ふくろこうじ》になったりしているあの街。建物の壁に「ここでイエスは十字架を背負って倒れた」「ここがイエスを裁いたピラトの官邸の跡である」という銅版がはめこまれていて、妻はそのたびごとにうつむいて祈り、私もそれにならった。偽善ではなく本心から祈った。もう一人の私の心の底から祈った。

イエスを嘲笑《ちようしよう》し、石をなげ、唾《つば》をはきかける群集のざわめきが聞えてくる。大衆とはそういうものだ。(戦争の時も戦後も私はそんな大衆をいやというほど見てきた)彼等は昨日までそのイエスに熱狂していた人たちだった。なぜ、そう変ったのか。十五年前の私は自分の本のなかでこう書いた。「彼等はイエスが彼等の夢を実現してくれぬ無力な男だと知ったからである。ローマを自分たちの国から追放する夢にこの男が役立たぬと知ったからである」解釈は間ちがってはいない。しかしそれは何人かの学者たちが言っていることであり、私が自らの人生の歯でかみくだいた言葉ではなかった。なにかが欠けていた。

日がくれる。カーテンをしめきった窓の外が真暗になっているのに私はほっとしている。七時ちかく、腰がまた痛みはじめやっと帰り支度をする。いつものように灯を消しガス台をしらべる。

住居は東京から電車で一時間ほどの場所にあるので、冬の温度も二、三度ひくい。そのため坐骨神経痛の体にはいささかつらい夜もある。神経痛だけではない。

私も五十五歳までは多少、体には自信があったのだが、五十五歳の時に鼻の手術をしたせいか、急激に体が変ってしまった。老いは突然、肉体のあちこちに醜悪な顔をだした。息ぎれや眩暈《めまい》がしはじめ手足がひえ、次々と歯が悪くなった。

原宿のホームに「うつくしい熟年」と書いた上原謙と高峰三枝子のポスターが出ていたけれど、老年のことを熟年と言いかえようが本質は変りなどしない。うつくしく老いるなど根本的にありっこないのだ。老年とは残酷なほど醜いということは、鏡にうつる私の肉体や顔をみただけでよくわかる。うすぎたなく生気のない髪、染《し》みのでた皮膚、醜悪なのは顔や肉体のせいだけではなかった。醜悪とは六十歳になっても心に静かさと安心がまだ訪れないことだった。六十歳になっても神は私をまだそんな気持にさせてはくださらぬ、夜、夢と夢の間で眼を闇《やみ》にむけて開けていると、突然、死の恐怖が切実に襲ってくる。自らの肉体が消滅すること。朝の光も街のたたずまいも、人々の動きももう見られぬこと。あたたかな珈琲《コーヒー》の匂いを嗅《か》げぬこと……。それを思うと鋭い刃物でえぐられたように胸が痛む。私はどこで息を引きとるのか。いつだろうか。考えまいとする。その想念から逃げるため早く眠ろうとする。老いの醜悪とはこのあさましい執着から離れられぬことだ。

日曜日、代々木公園の一角とそれにそった路は竹の子族を見物する見物人で一杯だ。見物人があちこちに円陣をつくってカセットの音楽にあわせ奇妙な踊りをやっている少年少女たちを熱心に見ている。私もその一人である。竹の子族たちは韓国人の着るような白やピンクの長衣をまとっていて少女は言うまでもなく少年たちまで頬紅をつけている。ひとつひとつの円陣によってグループがちがい、それぞれに必ずリーダーがいて、リーダーの先導でおどる。そばで外人がしきりに八ミリをまわしていた。私はその踊りを見ながら、あわれにも戦争の頃を思いだす。私たちがこの少年や少女の頃、もう日本は大きな戦争をしていた。

彼女が見物人のなかにいた。スワンで拳《こぶし》をふりあげ皆を威嚇するふりをしていたあの子。眼がほそくてニッと笑うと痴呆的なのにまだ中学生のようなあどけなさが顔のどこかにあらわれ、そのために私にスタヴローギンが凌辱したマトリョーシャを思いださせるあの子。今日は制服ではなく手あみらしいスェーターに襟巻をしている。

じっと観察していた。彼女は舌で上唇をなめながら竹の子族の動きに見ほれている。その表情には、できればこの円陣に加わりたい気配がありありと出ているが、やがて音楽がやみ少年少女たちが一休みすると、顔をあげて、私に気づき驚いた顔をした。

「おや」と私は親類の子でも見つけたように親しげに笑いかけて「この近くなの、君の家」

「小田急の駅のそば。おじさんは」

いか焼やハンバーグを売る屋台は路にそって幾つも並んでいた。珈琲を飲もうかと誘うと彼女は襟巻のなかに手を入れたままコーラがいいと答えた。日曜日なので代々木公園もＮＨＫ広場も陽光を求めて出てきた家族づれで混んでいたから、私はいつか老妻と腰かけたベンチのほうに歩いていった。同じベンチにこの間とおなじように肩をならべ、私は彼女にコーラの瓶とポップコーンの袋をわたした。制服の時はまだ子供っぽい体のように思ったが、こうしてスェーターがぴったりまつわりついた肉体を横においてみると、眼の細い顔や糸切歯の出た口もとにあどけなさが残っているのに胸も腿《もも》もむっちりとしているのがよくわかった。少し先に泥のついた運動靴や洗いざらしたスェーターから私はこの子のあまり裕福そうでない家庭を想像しようとした。

「おじさん、あんなの面白いの」

「あんなの？」

「きまってるじゃん、竹の子族のこと。イモの集りだもんね」

「でも面白いけどな」

彼女はコーラの瓶を握ったまま体を私にむけて軽蔑《けいべつ》したような表情をした。

「あんなカッペ、なぜ面白いのかなあ」

「なぜって……おじさんは若い子に興味ある」

彼女は黙りこんだ。私の真意をさぐるように上眼づかいでこちらを見あげた。

そばで五、六羽の鳩《はと》がきてしきりに餌《えさ》をさがしていたが、ウォークマンを頭にかけた青年と、両手をひろげたローラースケートの少年がそばにくると、急に飛び立った。その彼等が遠くに行くまで待って、

「おじさんみたいな人、多いんだよね」

と彼女は突然つぶやいた。

「どんな人」

「若い子にさ、興味ある大人」

「そんなに多いか」

「多いよ。表参道を歩いていると、声をかけてくるもん」

「君たちにか、しかしそれ中年だろ」

「中年もいるけどさ、おじさんみたいな年よりもいるよ」

と彼女はまた蔑《さげす》んだように笑った。ニッと笑った歯が少女らしく白かった。それは二十五歳をすぎた女にはやはりないものだった。

「おじさんだってスワンでわたしたちのこと、じっと見てるじゃん」

「声かけられると何するんだ」

「決まってるでしょ。男の考えてることなんか」

「君たち、承知するの」

「行く子もいる。年よりだって、物を買ってくれて、お金をたくさんくれる人いるんだって」

「お金もらって、どこまでするんだ」

「Cまで」

Cとは何かと私はたずね、一般に女子高校生たちはキスをA、ペッティングがB、最後の段階をCと呼んでいることも知った。もちろんそういう話を週刊誌などで読んだことはあったが、この女の子から直接にうち明けられると妙になまなましかった。私はまた彼女の大人になりかかった体を盗み見た。

「君も……そんなこと……するのか」

「しない。わたしは」

「あのスワンにくる……友だちは」

「しないよ。でも、お金くれればやる子は別に知ってるけど」

この答は嘘《うそ》のような気がした。ひょっとするとこの子もその一人なのかもしれぬ。しかし彼女の声は本当を言っているようでもある。

「しないほうがいいね。そんなこと」

「ああ」

彼女は急につまらなそうな声をだした。大人の決りきった忠告を今更、なぜするのかという調子だった。

「君の名は」

「ナミ子」

「今度の日曜日、ここにまたくるか」

「わかんない。退屈だったら来るかもしれない」

その日仕事場に戻ってから、カーテンの締めきった部屋のなかで「イエスの生涯」の草稿を書こうとしたが、彼女のことやとりかわした言葉が頭にまつわりついていた。もちろんあの少女の体に性的な関心を抱いたのではない。ただ彼女が私のような老人になぜ、急に、あんな話をはじめたのか、からかうつもりだったのか、サービスをするつもりだったのか、それとも実は誘惑するつもりだったのか、とあれこれ好奇心がわいたのである。

もちろん、自分と四十歳以上もちがうあの女の子と過《あやま》ちを犯す筈《はず》はないと思う。若い時とちがって今の私は自分の生活のなかに混乱を引き起すのがもう面倒くさいという年齢に達していたし、それにまがりなりにもクリスチャンのつもりだった。

だからある安心感をもって若い娘たちを盗み見するいつもの楽しみを味わうため、私は次の日もスワンに行った。残念ながら彼女たちはいなかった。次の日も次の日も同じ席で窓からあのナミ子が友だちとあらわれるのを待っていた。四、五日して喫茶店の扉をあけると、彼女とグループとが話しこんでいた。ナミ子は私を見ても知らん顔をしていたが、それがかえって、こちらを意識しているためのように思われた。というのは彼女はいつもよりはしゃいで笑っていたからである。

「あの子、洋服買ってくれる人がいたら、何でもすると言っていたよ」

「進んでるゥ」

「そこまで踏み切れる？　あんた」

今日は彼女が中心になって、本気とも何ともつかぬ口調でそんな話をしている。うぬぼれかもしれぬが、私にはその話題が私に聞かせたいためのように思われた。しかし受けとりようによっては、冗談だともとれる。

「洋服によりけりだよ」

「洋服より相手によりけりだよ」

「マイケル・ジャクソンみたいな子だったら安い洋服でもいいよ」

「よく言うよ」

この時はじめて彼女はこちらを窺《うかが》うように見た。あきらかに私の反応を見ている。それから何げないように、

「日曜日、竹の子族を見に行かない？」

「嫌だあ、あんなダサい男の子たち。ナミ子見に行くの」

「この前ね、退屈だったから」

彼女はこの時は私のほうに視線をむけなかった。が、しかしそれも合図の一つのように思われた。


日曜日、竹の子族たちが円陣をつくっている公園の坂をはあはあ言いながらのぼった。昔、肺を切ったせいで坂はゆっくり歩かねば息が切れるくせに、はあはあ言いながら足を前に出し急いでいる自分にふと気がついて思わず苦笑した。坂の上から焼いかの匂《にお》いとカセットの音楽の響きが風にながれ、今日もまわりは見物人でいっぱいである。

探したがいない。自惚《うぬぼ》れていた気持が砕け、自分の末娘のような少女にからかわれたと思うと自尊心が傷ついた。（いい年をしやがって）と私は汚い言葉を自分自身にあびせかけた。（何がほしいんだ）しかし、自分でも何がほしいのかわからなかった。

それでも私はコートのポケットに手を入れて朝鮮服のような服を着た竹の子族の子供たちが、手を拍《う》ったり、足をあげたり、くっついたり、廻ったりする姿をぼんやり眺めていた。神経痛の腰ににぶい嫌な痛みが拡《ひろ》がった。いつものように私は老いて醜くなった自分の肉体をその痛みで感じ、竹の子族たちを羨《うらや》む気持で見つめていた。

誰かにつつかれた。ふりむくと彼女が細い眼で笑っていて、

「おじさんが来ていると思ったよ」

「そうかい」

もう腰の痛みなど忘れかけている。

先週の日曜日とおなじベンチに腰をおろし、コーラの瓶を彼女に与えた。先週の日曜日と同じようにローラースケートをはいた子供やウォークマンで耳をふさいだ青年が歩きまわり、戦争の頃の自分を思いださせた。

「おじさん、音楽好き」

「好きだ」

「誰が好き」

「誰って……バッハとかモーツァルトとか……」

「ポップなんて嫌い？」

首をふって、そういう音楽はよくわからないと答えると「レコードがじゃんじゃん買えたらなあ」と彼女はうつむいてひとりごとのように呟《つぶや》いた。「じゃんじゃん」

私は彼女のうつむいた顔の健康そうなふっくらとした頬を見ていた。眼のあたりにも皺《しわ》ひとつない。この子は私とちがってまだ長く生きられる。これからの人生が拡がっている。それにくらべ、この私は……。彼女は泥のついた運動靴で地面を掘っていた。その運動靴を見ると、レコードを買えるほど小遣を持っていないことがわかる。

「マイケル・ジャクソンのレコードを買いたいんだけどなあ」

それはレコード代をくれないかとねだっているようでもあった。

「レコードがそんなにほしいのか」

「ほしい。レコードも洋服もウォークマンも」

そして彼女は相変らずうつむいて靴先で地面を掘りかえしていた。ひょっとするとこの子はこれまでも今のような曖昧《あいまい》な言いかたで自分に声をかけた中年男たちを誘ったかもしれぬ。いや、これがはじめてかもしれぬし、あるいはまったく無邪気で言っているのかもしれぬ。

「じゃあ、おじさんがレコードでも洋服でも買ってやったら……」と私は冗談めかして訊《たず》ねた。「君の友だちのようなこともするのか」

顔をあげて彼女は細い眼でニッと笑った。痴呆《ちほう》的なその笑いかたは照れ臭さをかくすようでもあり、同意したようでもあり、また私の言葉をからかいと受けとったようでもあった。笑った時、糸切歯がみえた。人生のことは何も知らない笑いかたでもありひどく淫《みだ》らな笑いかたでもあった。大人でも子供でもないその笑顔は不気味であった。突然私は自分の言葉ひとつがひょっとするとこの子の今後を左右するかもしれぬ、と思った。「じゃあ、おじさんがその金をやろう。そのかわり月に二回はつきあいなさい」たったその一言がやがてこの子に男や愛にたいする不信をはぐくむ種になるかもしれぬ。六十歳の私、十七歳の女子高校生。この子にはこれからの長い人生がある。こっちはもう残り少い。だがこの子の人生に私が最初の指の跡をつけてやることも可能だ。その快感とその支配感はあまりに強く私は思わずその言葉を言いかけた。

その時夕暮の空が眼に入った。ちょうど世田谷や目黒の雲間から冬の陽光が洩《も》れてそこだけ赫《かがや》いている。その光の赫きを見ているとスタヴローギンの告白に出てくるあの楽園の絵のことが急に甦《よみがえ》った。(そこにはすばらしい人たちが住んでいた。彼らは幸福に汚《けが》れも知らず日夜を過していた。森は彼らの楽しげな歌声に充《み》たされていた。太陽は自身の子供たちを楽しげに眺めながら島々や海にさんさんと光をそそぐ。ふしぎな夢、かつてあった夢想のなかで最も信じがたい夢想)

「帰ろう」

と私は言いかけた言葉をのみこんで立ちあがった。私たちは歩道に出るとおたがい何もなかったように手を軽くふって別れた。

そのくせ数日の後、私は次のような夢を見た。場所は仕事場にむかし使っていたホテルの一室で、バス・ルームに入り衣服をぬいでいた。化粧室の鏡に薄くなった頭や染《し》みの出た顔や老いさらばえた体がうつり、私はわざわざその鏡の前に立って、現実以上に老いたことにびっくりし、次に自虐《じぎやく》的な衝動にかられて道化のように鏡の自らの顔にむかってべっと舌を出してみせ、そして嗤《わら》った。嗤っただけでなくわざと鶏のように嫌な声をだして嗤った。

その夢が途切れた。次の眠りに入ると、今度はしきりと嫌がる女の子を押えつけていた。女の子はあの子である。彼女は私のぬれた口から逃れるために顔を必死で左右にふっていた。そして逃れようと相手がもがけばもがくほど私は彼女を目茶目茶にしてやりたく老醜そのものの自分の肉体を彼女の乳や腿にこすりつけ、老人の唾液《だえき》であどけなさの残っているそのまぶたやふっくらした頬をよごそうと懸命だった。情欲のためではなく、文字通り彼女の生命を凌辱《りようじよく》したい衝動からである。

眼をさました。くすぶった燠《おき》のようなものがまだ体内に赤く燃えつづけていた。夢とは自分が認めたくない欲望のあらわれだと読んだことがあるが、今みた夢はまさしくそんな夢にちがいない。

そばで妻の寝息が聞えるほか静寂である。私は獣のように闇《やみ》のなかに眼を光らせて今の夢を嚙《か》みしめていた。やがてこの地上から去る六十歳の男が、これから生きる少女へ抱いた嫉妬《しっと》心が今の夢を作っていた。命の衰えた者が命のあふれた女子高校生に抱く憎しみがそこにあった。自分がもう失ってしまったものへのあさましい執着と、充実している存在を傷つけたいというサディズムが無意識から怪物のように姿をあらわし、形をとったに違いなかった。「イエスの生涯」を一度でも書いた男がそんな感情をまた心の底に持っている。

老妻はすぐそばで規則ただしい平和な寝息をたてている。自分の眠りと彼女の眠りの深い差を思った。神はある者には老年と共に安らぎを与え、他の者には老年と共に死の恐怖、生命への執着、生き残る者への嫉妬、醜いあがきを与える。

今日も仕事部屋を掃除にきた妻と散歩をした。あたたかい日だったので腰も痛まず、用心のため首にまいてきた襟巻も途中で取ってしまった。妻は半月ほど前に結婚した姪《めい》の話をする。新婚旅行はカリフォルニヤに行ったそうだ。「わたしたちの頃と大違いねえ」「こっちは奈良に出かけるのも大変だったな」信号が変りかけたので二人は立ちどまり、十姉妹《じゅうしまつ》のように並んで温和《おとな》しく待っている。夫婦とも昔のように走ったりするには用心ぶかくなったのだ。

今日もNHK広場のベンチに腰かける。日曜日ではないから竹の子族たちの音楽も見物人のざわめきも聞えない。妻は両手を膝《ひざ》の上のハンドバッグに重ねて、「当分、お婿《むこ》さんの御両親と一緒に暮すそうよ。節ちゃんはそれが不満らしいけど」

「むかしは当り前だった。新婚夫婦であたらしい住居を持つなんて贅沢《ぜいたく》だった」

このベンチは先週の日曜日、あの子と坐《すわ》った場所だ。妻はもちろん、それを知らぬ。この前と同じように陽がそこだけ赫いている空の一角。スタヴローギンの見た楽園の絵、イエスが語った神の国。「おいおい、陽があたっているあちら、オリーブ山から見おろしたエルサレムに感じが似てないか」「そうかしら。あそこでは街がもっと白っぽかったけど」

妻の話にうなずいてみせながら、私は机の上にのせた「イエスの生涯」の草稿のことを考えている。捕えられたイエスを嘲笑《ちようしよう》する群衆のなかに私は一人の老人の姿を発見する。イエスは血や泥でよごれたまま温和しく連れていかれる。抵抗もしない。眼をふせている。しかし老人の前で顔をあげる。老人を見た眼はきよらかだった。少女のようにきよらかだった。永遠に消えぬ純粋なものの前に老人はたじろぐ。それが老人の嫉妬心をかりたてる。彼は思わずイエスに唾《つば》をはきかける。せめてその肉体だけでも辱《はずか》しめるために、私が夢のなかでやったように。

ベンチの前を一人若い主婦が通りかかり、ちらとこちらを見て好意ある微笑をうかべてくれた。きっと彼女は私たち老夫婦をもうすべて人生の風波を通りぬけ、静かな生にたどりついたと思ったのだろう。そして彼女もいつかそうありたいと思ったのだろう。


（注記）文中、スタヴローギンの告白の一部は江川卓氏訳を省略して使わせて頂きました。

日本の聖女

四月八日はこの国の仏教徒には花祭りの日である。だがたまたま、切支丹《きりしたん》には復活祭に当っていたから、この玉造《たまつくり》にある教会《エクレジア》では前日から祭壇はもとより二つの部屋にも門口にも花と蠟燭《ろうそく》をさげ美しく飾りたてた。パードレ・セスペデスはいたく悦《よろこ》ばれ、これでは信徒だけでなく異教徒もあまた見物に来るだろうと楽しみにされていた。

お言葉通り、朝から教会の門前には物見高い男女が押しかけ、開け放した部屋は信徒たちでいっぱいに埋った。ミサの説教の折、パードレは関白さまに従って九州に出陣された高山右近殿、小西行長殿たち切支丹の武将の御武運を祈るよう申しわたされ、十字架の旗たてて戦っている切支丹武士のため特に神の加護を乞《こ》われた。

　ミサが終り、物好きな異教徒たちも引きあげ、ようやく平日の静かさをとり戻した折、聖堂を片附《かたづ》けようとしてなかを覗《のぞ》くと、被衣《かずき》で面をかくした四、五人の女性が祭壇の前に坐《すわ》り、珍しげに主イエスと聖母の御像を眺めていた。いずれも、いやしからぬ貴婦人たちと思われ、退《さが》ろうとすると一人の女房がこの像は誰か教えてほしいと頼みにこられた。

　私の申すことに彼女たちは耳かたむけていたが、そこにパードレも姿をみせられ、皆の間で切支丹の話がはじまった。まだ日本語の巧みでないパードレのため、彼よりはこの国の言葉に通じている修道士《イルマン》の私が彼女たちの問いと答えとをそれぞれに通辞することとなった。

　女房たちのなかに一人、皆から少し離れてイエスの像を長い間見つめている若いお方がいた。どこか頼りない暗い表情がその顔をかすめるのに私は気がついた。彼女が何か言うと、女房たちが皆居ずまいを正してそちらを向くので私はこの方は女主人であろうかと思った。一人の女房が仏教と切支丹のちがいをパードレに訊《たず》ねた。

「されば仏教では仏は人間の優れた化身であっても、人間を越えたものとは申されませぬ。だが切支丹の神は人の化身に非《あら》ず、永劫《えいごう》に不動不変の命そのものでございます。まこと仏教も申す通り、この浮世は変転するものであり、無常ではかないものでありますが、切支丹の神は不滅なれば裏切りのない、拠《よ》りどころと申せます。これに身を任せるものは変転する浮世に一向に心動かされませぬ」

そうパードレがお答えになると、主人らしいかの女性はうつむいたまま何か思いにふけっている。うつむいた顔に影がさしている。侍女たちは気配を察して、皆、じっと黙った。

この女性たちは何処より来られたのだろうかと幾度か問うたが、誰も身分も名前も明されず、やがて丁寧に礼をのべ、戻っていった。パードレも私と同じ心であったとみえ、すぐに召使にあとを追わせたところ、女性たちはなんと細川忠興《ただおき》さまのお邸に姿を消したという。

「では」

私は思わず、

「あのお方は細川さまの奥方にちがいありませぬ。パードレも御存知でありましょう。織田《おだ》信長《のぶなが》を亡《ほろぼ》した明智《あけち》光秀《みつひで》の娘です」

パードレも驚かれ、忘れがたい朝のことをしきりに思いだしておられた。あれは五年前の六月二日の朝で、その朝パードレも私も日本人たちが都の南蛮寺と呼んでいた教会《エクレジア》に住み、朝ミサの支度をしていた時だった。外でなにやら騒乱が起った気配がして、はじめは喧嘩《けんか》でもあったのかと思っていた矢先、信徒の一人が馳《か》けつけ、ただ今、右大臣の織田信長さまのおられる本能寺に火があがり、軍勢がとり囲んでいると知らせてきた。急いで外に出ると、なるほど東の方に黒煙濛々《もうもう》とあがり、鉄砲の音が豆のはじけるようにきこえる。逃げ支度にかかった時、二人の騎馬武者たちが教会の前をすさまじい勢で駆けていった。近衛《このえ》家のあたりが燃えている。戦《いくさ》は本能寺から、信長様の御嫡子《ちゃくし》信忠さまの御宿所に移ったらしい。昼すぎ、戦いも終り、桔梗《ききょう》の旗たてた軍勢が京の要所要所をかためた。明智光秀殿が都の主となったのである。

その日からさまざまな出来事があった。天下をとられたかに見えた明智殿は今の関白になられた羽柴秀吉《はしばひでよし》殿に敗れて土民たちの手で殺された。我らのよき教会《エクレジア》や神学校《セミナリオ》のあった安土《あづち》も城と共に灰となった。

あの朝のことをまた話しあいながら私は、さきほどパードレの話にうつむいておられた細川さまの奥方の姿を思いだし、あの方もまた私たちと同じことを考えていたのではないかとふと気がついた。たしかにあの半月の間ほど、世の中が激しく変転したことはなかった。あの半月ほど力ある者が次々と亡びる栄枯盛衰のはかなさを眼《ま》のあたりに見た時もなかった。我らとてそうであるから、まして明智殿の御息女ならば、ひとしお世の無常をパードレの言葉から嚙《か》みしめられたにちがいあるまい。そして、それを察して侍女たちも沈黙したのであろう。

「きっと、また、あの方たちは参られます」

と私はパードレに申しあげた。そんな気がしてならなかったからである。

果せるかな、一ヵ月ほどたって、今度はあの方ではなく、つき添って参られた年とった侍女の一人が小者をつれてそっと姿をみせた。正直に言えば、みにくい顔だちで、頬骨の出た痩《や》せたその侍女は自分は細川家に仕える女で小侍従と名のるが、奥方に代って礼をのべに来たと挨拶《あいさつ》し、更にパードレにもっと切支丹の話を伺うよう女主人より命じられたと語り、教えられたことを一語一語、紙にうつした。

話によると、夫人の教えを聴くお気持はあれより日ましに強くなっているが、御出陣中の殿から御外出をきびしく禁じられているため、それがかなわぬのだという。あの日は花祭りに詣《もう》でる侍女の一人を装《よそお》って、ようやくこの教会に参られたとのことである。

「だがなぜ、奥方は切支丹の教えに心を動かされました」

とパードレが問われると、小侍従は少しためらい、

「お寂しいからでございます」

と呟《つぶや》いた。

人間、誰もが寂しいものであり、何もあの女性お一人ではない。寂しくて仏の道をきく日本人は多いのに、なぜ、仏僧のもとには行かず、わざわざ切支丹の教

会に来られたかと訊ねたかったが、小侍従殿はそのまま話を変えられた。どうやら奥方の寂しさには露《あら》わに語れぬ何かがあるように私には思われた。

それからたびたび小侍従は小者を連れてパードレをたずねてきた。夫人にかわりパードレの話を書きうつし、夫人の疑義とされたことを問い、戻っていく。いつも通辞としてそばに坐っている私は、夫人が切支丹のなかから何を知りたく思っておられるのか、おぼろげながら推量できた。

彼女の疑問とすることは、なぜ切支丹の神《デウス》だけが永劫不変であり、依《よ》り頼むに足りると思うのか、そして神《デウス》が決して人間を裏切らぬとまこと信じてよいのか、俗世の変転のなかで揺るがざるものの信仰はどのように出来るかなどである。

パードレはこうした問いを大変悦ばれ、奥方は既に切支丹の真髄を衝《つ》いているとほめられていたが、傍らにいた私は、こうした疑義を出した夫人は今日まで肉親にも夫にも心の拠りどころを見出《みいだ》せなかったのではあるまいかと想像してみた。だからこそこの世で心の支えになり、依り頼むに足り、裏切らぬものを欲しがるのだろうと考えた。父親の明智殿の無残な最期《さいご》や一族の滅亡を身をもって味った奥方としてはその心情は無理からぬのであろう。

だがヨーロッパでも日本でも戦にあけくれる貴族の妻や娘は、細川の奥方と同じ運命を持っている筈《はず》である。日本ではそのような女性たちはおおむね、世をはかなしとみて仏にすがるのが普通である。それなのに彼女がなぜわざわざ切支丹に心ひかれたのか、その理由はまだ釈然としない。

小侍従はその後幾度となく足を運んでいるうち、次第にうち解け世間話もできるようになったので、ある日、パードレのおられる前で、奥方は何がお寂しいのかと改めて訊ねてみると、

「それは……」

小侍従はたじろいだように陰気な顔をうつむけて、

「奥方さまは五年前、殿のきつい御指図で丹波の味土野《みどの》に流されました。それより御内室さまは殿をもう心のたのみとはしておられませぬ」

と不意に告白した。

はじめて、私たちはあの明智光秀の反乱の年に、奥方が城と子供たちから引き

裂かれ、丹波のわびしい里に幽閉されたことを知った。明智殿はその折、しきりと娘の夫である細川殿に支援を乞うたが、殿は義理の父の敗北を予感してか、秀吉殿の側に味方し、細川の家を守るため、裏切者の娘である妻を宮津の城から味土野の山里に追放したのである。

「わたくしもその折、御内室さまのお供を致し味土野に参りました」

この時、小侍従はまるで自分だけが当時の夫人の辛《つら》さ、悲しさをどの侍女よりも知っているようにうつむいていた顔をきっとあげた。

「味土野は山にかこまれた谷のなかの村でございます。冬には雪ふかく、山の外から、訪《おと》なう者一人もありませぬ。その山あいで奥方さまは殿より送られた見張りを受けながら三年《みとせ》、過されました」

「だが、それは細川の殿としてはやむをえぬ仕儀ではございませぬか」と私は殿に同情した。「殿には守るべき家があり、養わねばならぬ家来もあまたおられる。奥方の父が、信長さまを亡した方ならば、なおのことおのれの気持を殺さねばならなかったでございましょう」

小侍従は私のこの言葉にしばらく沈黙した。しかしその沈黙には、彼女の不快さと不同意とがありありと含まれていた。

「それだけで……」私は言葉をつづけて「夫を信じられなくなったとは……少し合点もゆきませぬが……」

「奥方さまは女にございます。女には家門のこと出世のことよりも、もっと大切なものがございます」

私には小侍従が何を言おうとしているかがわかっていた。男の世界で大事なもの——野望、出世、権力、保身、栄誉、そういう動いてやまぬ運命よりも女はひたすらに動かぬものと安定の場所を求める。だが奥方には父の光秀殿は子供の時から心の支えにはならなかった。光秀殿は主君を亡すほどあまりに野望という男の世界に生きる人だった。やがて結婚した殿さえも奥方の心の安定の場所にならなかった。殿もまた家門と保身という男の世界のほうが大事な人だったからである。

「なるほど、夫を信じられぬゆえ……切支丹の教会《エクレジア》に拠りどころを探されて参られましたか」

私の口調には少し皮肉な調子がまじっていた。そのため小侍従が帰ったあと私はパードレからきついお叱《しか》りを受けた。パードレは言われた。

「たとえどのような路《みち》から山へ登るとも、いずれの路も頂きに達する。神《デウス》への路も同じことであること忘れてはならぬ」と。

私が小侍従に皮肉な言葉を口にしたのは、日本人の多くは、世に生きぬくことの辛さに耐えかねると、逃げ場所を宗教に求める者が多いからだ。私のようなヨーロッパの人間から見れば、それは人生からの逃避であり、人生の苦しさを回避する弱い生き方のように思える。こうした弱い生き方を仏教では解脱《げだつ》とか遁世《とんせい》と呼ぶ。だが遁世とは世俗の煩悩《ぼんのう》を捨てて生きる意味であり、決して切支丹の生き方ではないと私は考えている。なぜなら主イエスは決して人生の苦しみの象徴である十字架を肩からお捨てにはならなかったからである。つまり切支丹はこの人生のさまざまな苦悩から逃げてはならないのだ。人生の苦悩のなかで傷つき生きぬくことが切支丹のありかただと思う。だから私は父の滅亡に栄枯盛衰を見つけ、夫の仕打ちに男の世界のあさましい保身を感じた奥方が、こうした世の現実に耐えかねて教会の門を叩《たた》くのは、いかにも日本人風だと思わざるをえなかった。私のまぶたには始めてここに来た時の奥方の暗い表情が浮んだ。夫を愛しえない者にどうして神を愛しえよう。神もまた人智《じんち》では合点いかぬ無常を人の世に与えられるからである。仏教とちがい切支丹の信仰はそこに生きぬくことから始まるからである。

正直いえば、私は私をお叱りになったパードレにもひそかに不満を持った。パードレほどのお方ならばたしかに私の考えているような日本人の心の傾きを承知しておられるであろう。しかしパードレは、山へ登る道は幾つもあり、それぞれの路は最終的には頂きに達するのだと言われた。だがそのお心には細川殿の奥方ほどの貴婦人が切支丹になれば布教の上でどれほどの力になるかもしれぬという期待がひそんでいたような気がする。だからパードレは夫を愛さなくなった夫人の過《あやま》ちに眼をつぶっておられたにちがいない。

ある日、小侍従は夫人が殿に嫁がれた日のことを、それだけをまぶしくたのしかった思い出のように話してくれた。殿も夫人もその時はまだ十六歳だったが、殿の父君である細川藤孝殿と明智光秀殿とは信長さまを同じ主君として戴《いただ》いただけではなく、連歌と茶との友であったため、御縁談はすぐに纏《まと》まり、しかも信長公が媒酌《ばいしゃく》をなされたのだそうだ。

「お式は細川家のお持ちになった勝竜寺城で行われました」

勝竜寺城ならパードレも私も知っている。京から大坂にくだる途中の山崎に近い淀《よど》川にそった丘陵の城で、四年前、私たちがそこを通った時は、水濠《みずぼり》や焼け焦《こ》げた石垣はまだ残っていたが、もうその建物はなくなっていた。

「夏の晴れた日でございましたが、すべて古式に則《のっと》って、一日中、祭りは続きました。奥方さまは愛らしう、かがやくばかりにお美しく、お倖《しあわ》せにみえました。

武者に守られ駕籠《かご》をおりられ、館《やかた》までお入りになる時、この私がそのうしろを従うて参りました。このお城にては田辺に移られるまで仲むつまじくおくらしになりました」

小侍従はわざとか、それとも忘れたのか、あることをかくしていた。私はパードレと見たあの廃城の石垣やそこの樹々《きぎ》が焼けて黒ずんでいたのをまだ憶《おぼ》えている。山崎の合戦で夫人の父である明智殿は、夕刻から秀吉さまと戦をなし、その夜、敗れて逃げこんだのがこの勝竜寺城だったのだ。そして城が、急迫する秀吉の兵士たちのため炎に包まれた、と私は村人から聞いていた。私がそれを口にすると、小侍従は、

「たしかにあの城は奥方さまには、その後、悲しい思い出のものに変りました。だが奥方さまにどうしてその城が御自分にとり不倖せな場所になるとおわかりになりましたでしょう」

と首をふった。

小侍従はまた明智殿の反乱のため、夫から味土野に流された折の奥方の生活を

語ってくれた。

「朝晩、経をあげられ、御父上、御一家の御冥福《めいふく》を祈っておられました。経をあげても心みたされぬ折はこの私にだけ、御心うち明けられ、できるならばすべての恩愛を捨て、尼《あま》となり生涯を仏に仕えたいが、叶《かな》わぬことの恨めしいと申されました」

私はパードレの顔をみて、パードレがこの小侍従を通して奥方を戒めてくれるのを待っていた。宗教とは世を捨てることではなく、世の泥沼のなかにもがき生きることだと、パードレは小侍従にも奥方にも申されるべきだった。ゴルゴタの丘まで、あの暑い日、主が重い十字架を捨てられなかったのは、人生の苦しみを引きうけ、人生の苦しみにうち克《か》つためだったと教えられるべきだった。だがパードレはこの間と同じように寛大な微笑をしながらうなずいておられるだけだった。

思いもかけぬ出来事が起った。九州の戦に勝利をしめた関白秀吉さまは本営の博多、箱崎に引きあげられると、諸将を集め武功をねぎらわれた。十字架《クルス》の旗をたてて転戦した切支丹《きりしたん》武将の方たちもこの祝宴に列《つら》なったが、この席上で関白さまは突如、この後は日本には切支丹を宣《の》べること、宣教師《パードレ》、修道士《イルマン》の住むことを固く禁じると大声にて申しわたされ、切支丹を信心する武士は関白を選ぶか、切支丹の神を選ぶかを、とくと心して返事せよと命じられた。

小西殿、黒田殿、蒲生《がもう》殿、牧村殿たち切支丹武将たちはいたく狼狽《ろうばい》し、その夜、ひそかに協議の上、切支丹を棄《す》てる旨《むね》、秀吉さまに言上申しあげたが、一人、高山右近殿はこれに肯《がえ》んぜず「王のものは王にかえせ。神のものは神にかえせ」という聖句に従い、おのれの領地、領民、家臣は関白にお返し申すと答え、朝方、まだ夜の白まぬうち、わずかの家来を連れて陣営を出奔したと言う。

この出来事は畿内《きない》にも早馬にて伝えられ、京、大坂は申すまでもなく、高山殿の御領地である明石も狼藉《ろうぜき》混乱をきわめた。パードレは管区長オルガンチーノ神父と相談されて、とりあえず切支丹商人の多い堺《さかい》に身をかくし事の成行きをみることに決心された。オルガンチーノ管区長は日本を見捨ててマカオやマニラの安全な地に逃げることはやさしいが、宣教師、修道士たる者、たとえ地下にひそみ、草の根をたべても、残った日本人信徒を力づけ、励まし、共に苦しむことが切支丹パードレの義務であると申されたとのことである。パードレも私もその考えには賛成し、この日本に潜伏することを決心した。

我々が堺に移るため荷造りをしている折も折、小侍従が見舞いに参り、奥方さまもこの出来事に心を痛められてはいるが、何ひとつお助けできぬことが悲しいと申されていると伝えてきた。

「高山さまの潔《いさぎよ》いお振舞は天晴《あっぱれ》にございます。奥方さまは高山さまこそ、まことの切支丹であろうと申されておりました」

小侍従はそれから声をひそめ、

「その高山さまは今、小豆島に身をひそめておられます」

もちろん私にはこの小さな年とった侍女の言うことに逆う理由はなかった。高山殿の雄々しい態度はオルガンチーノ管区長もパードレもひとしく感嘆してやまぬことだったが、この私には――日本に来てもう二十年になる私には――なにか、切支丹の教えとは外見は似ているものの、いささか違った心情を高山殿のなかに嗅《か》ぎとらざるをえなかったのだ。高山殿が俗世の名利を捨てようとしたのは今度が始めてではない。若い折にも父君と意見が衝突した時、彼は責任ある城も家臣も領民も捨てて山に入ろうとしたことがあって、それが今度の切掛《きっかけ》でふたたび火をふいたと考えられぬこともないのだ。

だが私に不安を起させたのはこの高山殿の態度ではなく、そうした心情をすべて切支丹の道と考える小侍従や奥方の感情なのである。

「それにしても小西さま、蒲生さまがあのように不甲斐《ふがい》ないとは思いませんでした」

小侍従は蔑《さげす》むようにつけ加えた。

「なぜ、そうお考えになる」

たまりかねて私は口を入れた。パードレがこの時も何も戒められなかったからである。

「人は外側の行いで判断はできませぬ。小西さまはなるほど、教えを棄てると関白に申し出られた。だが小西殿は自分までが高山殿のように領地領民を捨てれば、この日本に宣教師《パードレ》、修道士《イルマン》をかくまう者が一人もいなくなると思われたからだと手紙を寄こされております。この後、あの方は関白さまの前では教えを捨てた者の如く振舞い、かげでは切支丹をひそかにかばう二重の生き方をなされましょう。その二重の生き方はさぞかし高山さまの生き方より苦しかろうと存じます。しかし小西さまはその生き方を選ばれた」

おのれの弱さのため現世を回避するだけが切支丹の道ではなく、小西殿のように現世のなかで卑怯者《ひきようもの》と見られながらも、術策をこらして主のために生きるのも切支丹の道ではないかと、私は言いたかったのである。だが女の小侍従には私の考えは不服らしく、

「侍は潔いことが、よろしうございます」やりこめられた不満を頬骨のたかい顔にみせて、「われら女にはそのような小西さまの御口ぶりも、どうやらおのれを正しうするための口実に思えます」

日本人の正義はいつも美に結びついているから、策を弄《ろう》するような行為はたとえ正義のためでも、美しくない、潔くないと考えがちなのだ。だから彼女や奥方が高山殿の行為を天晴れと思い、小西殿のそれをどうしても厭《いと》わしいと考えるのは日本人風なのである。小西殿は純粋に日本人ではない。小西殿の血には大陸の血がまじっていることは誰もが知っている。

パードレと私とは堺に逃れ、その地の切支丹商人の手引きで海べりの村にかくれ、高山殿も小豆島に身をひそめた。室津《むろつ》の領主になったあの小西殿はその間、ひそかに手をまわし、高山殿や潜伏した我らの管区長や宣教師たちの生活の資を助けてくれた。一方、長崎に追いやられ、日本を去るように命ぜられた他の聖職者たちも、一時は身も世もあらぬ心地だったが、事態がどうやら鎮《しず》まりそうな気配を感じて、胸をなでおろした。このように事態が緩和したのはすべて小西殿とその一族とが関白秀吉さまの怒りを解くようにあらゆる手段をこらし、宣教師を追放することがマカオやマニラとの貿易にも不利なことを教えたからである。

だが教会ではとも角、日本人の切支丹の間では小西殿の評判は決して良いものではなかった。日本人の修道士や同宿にもあの小侍従と同じように摂州殿（小西殿のこと）を蔑むような口ぶりで語る者もいた。それは彼が力ある人の前で怯《おび》え、主《デウス》を否《いな》んだという過去の事のためだった。この国では一度、押された烙印《らくいん》を消すことは非常にむつかしい。日本人には人間をその外形やその行為だけで判断する習慣があるから小西殿のせつない心情は理解しがたいものだったにちがいない。

「だがもし摂州さまが、本当にまことの信仰があるならば、高山さまのように、自分は切支丹であると関白さまにあらためて申されるべきだ。関白さまの前では転び者のように装《よそお》うて、おのれの保身を計り、やましさを償うためにパードレを助けるのはずる賢いことである」

私はそのような蔭口《かげぐち》をあちらで聞き、こちらで耳にした。そのくせ、その修道士や同宿たちは小西殿のひそかな助けによって露命をつないでいるのである。

小西殿は一度、パードレを堺に招いたことがあった。パードレと私とは日本の僧侶《そうりょ》の形に身をかえて小西殿の邸にたずねた。武人と言うよりは商人とよんだほうがいいような体格の小さな小西殿はたえず笑みを浮かべていたが、時折、その表情に影がさすことがあった。

「余はたしかに転ぶと関白さまに申しあげた。その時の心の痛みは今でも胸を責めさいなんでいる。深夜、眠りからさめた折、神《デウス》までがこの私を咎《とが》めておられるような気のする時がある」

別れぎわ、小西殿は急にそう言った。告白するような口調だった。

「どうして主があなたを咎められましょう」

とパードレは小西殿を慰められた。「主はすべての心の底までお見通しでございます。主をあざむくことは誰にもできませぬ」

「そうか」と小西殿は溜息《ためいき》をつかれた。「主をあざむくことは誰にもできぬか」

大坂に帰城されたあと、関白はもう二度と切支丹禁制を口に出されなくなり、城下にふたたび宣教師たちが戻ったこともお耳に伝わっただろうが、まったく眼をつぶっておられる気配である。そこで我々もふたたび玉造の教会《エクレジア》に帰り、荒れ果てた建物をなおし、昔の信徒たちの悦《よろこ》びあう姿を見ることができたが、気にかかる細川殿の夫人も小侍従もなぜか姿をあらわさなかった。

だが私とパードレは、関白に従って大坂の邸に帰った細川殿の心が荒《すさ》んでいるという話を時折、聞いた。召使う者を些《さ》細《さい》なことで手打ちにされたり、ある時は奥方の侍女を邸から追い出されたという。そうした噂《うわさ》を耳にするたび、私はあの奥方と殿との泥沼のような心の闘いを感じた。夫よりも神に心を向けてしまった女と、それにいらだっている男との葛藤《かっとう》は妻を持たぬ私にも推測はできる。そして夫が荒めば荒むほど奥方の心は自分を裏切らぬ神《デウス》にひかれるのだろう。

そんなある夕暮、思いがけなく小侍従がひょっこり姿をみせた。パードレは生《あい》憎《にく》、不在で、私だけが彼女と会ったが、久しく会わぬ間、前よりも痩《や》せた彼女はその頬骨も更にたかくなり陰気にさえ見えた。おたがい、その後のことを語りあったのち、小侍従は来訪の目的を口に出した。

「奥方さまは洗礼《バウチズモ》を深く望んでおられます」

「なぜ洗礼《バウチズモ》を急がれます。洗礼を受けるためには、切支丹のことをもっと多く学ばねばなりませぬ」

「奥方さまは今ほど心を支うるものを切に欲しておられる時はございませぬ」

「殿がその支えにはなりませぬか」

小侍従は暮れかかった庭にじっと顔をむけ、やがてぽつりぽつりと殿の荒みようと奥方の苦しみを語りはじめた。殿は御長男忠隆《ただたか》さまや御息女お長さまの乳母だった女房の些細な過ちに腹をたてて鼻と耳を切り落して邸から追いだしたという。また屋根を修理していた職人が誤って庭に落ちるとその首をはねて奥方に投げつけたともいう。

「その時も奥方さまはただ黙って坐《すわ》っておられました。何も申されませんでした。その奥方さまに殿は血も泪《なみだ》もない蛇のような女だと罵《ののし》られました」

暮れかかった庭に顔を向けた小侍従の眼が異様に光っているのに私は気がついた。はじめは、自分の主人である奥方に暴力をふるう殿への憎しみが、彼女の心に改めてこみあげてきたのかと思った。だがひょっとするとこの女性は奥方が苦しめられていることに悦びを感じているのではないかと思った。奥方が現世的な倖せをもぎとられればもぎとられるほど、それを悦ぶ嫉妬《しっと》のような感情が彼女に働いているのではないかと考えた。そしてこの女が奥方の心を神に向けよう、神に向けようと手伝っているのも、忠義とか献身というのではなく、彼女自身も気のつかないこの嫉妬のなせる業ではないかという不安に私はかられた。

「蛇のように冷たい女……殿はそう申されたか」私は呟《つぶや》いた。「では殿もまた……苦しんでおられる」

「殿が……なにをお苦しみでございます」

「奥方の心が御自分から離れていることに……奥方の心を獲《え》られぬことに。殿はそれゆえ、荒んだ仕打ちを次々となされるのだと思われるが……」

小侍従の眼がまた異様に光った。男は女の心が冷たくなればなるほど泥沼のなかでもがく。私は殿に向きあった奥方の姿をはっきりと思い浮かべることができた。職人の血まみれの首を突きつける殿の前で、姿勢も崩さず、頑《かた》くなに石像のように動かない奥方。その地獄絵に一人の男と一人の女の越えがたい心の距《へだた》りがはっきりみえる。奥方の心が石のように冷たければ冷たいほど、殿がますます荒むことは男の私には手にとるようにわかるのだ。

それは決して主イエスのあの清らかな世界ではなかった。主イエスの教えられた愛の世界からあまりに遠かった。にもかかわらず、奥方は洗礼《バウチズモ》を受けたいと言われる。その地獄絵をのり越えるためでなく、殿からもっと離れるために、殿を見捨てるために洗礼を受けたいと言う。

「パードレは何と申されるかわかりませぬが」と私は首をふった。「洗礼を受けられるよりも、奥方はまず殿を御大切にされることが大事と思われます」

「いいえ、奥方は殿へのお勤めを怠ってはおられませぬ」

お勤めとは何かと言いかけて私は流石《さすが》に口をつぐんだ。勤めとは夫婦の夜の営みのことも含んでいた。夜、夫に抱かれることも妻の勤めならば、あの奥方は殿を夜の床で決して拒みはしないのであろう。拒みはしないが氷のように冷い体を抱いたところで男に何の悦びがあろうか。殿にだかれながら奥方は闇《やみ》のなかで眼を虚《うつ》ろに大きく開いているにすぎない。

私のこんな想念に反して、用から戻ってこられたパードレは大いに悦ばれ、小侍従の申し出を承諾された。奥方は殿へのはばかりもあって教会《エクレジア》には来られぬから、小侍従がパードレに代って洗礼《バウチズモ》を授ける権限を持つように取り計らわれたのである。

私は不満だった。奥方の受洗には、ゆたかなもの、祝福された何かが欠如しているように思われたからである。だが一人の修道士にすぎぬ私にはパードレの御決定に口をはさむ資格はない。小侍従が戻ったあと私が個人としてパードレに自分の感想をのべると、パードレはまたきびしくお叱《しか》りになった。

「洗礼は神が人間に与え給うもので、人間が人間に与えるものではない。その動機が何であれ、洗礼を求める心のほうが何ものよりも勝るのだ」

洗礼は神が人間に与え給うもので、人間が人間に与えるものではない。パードレのお叱りの言葉に私は自分の考えの至らなさ、信仰の足りなさを恥じた。たしかにその動機が何であれ、洗礼という神のお力によって人間は救いの道に至るのだ。

だが自分を恥じても心には奥方にたいする不安はいつまでもつきまとった。そして奥方のその後の御生活ぶりを小侍従の口から聞かされる時、また奥方がパードレに手紙を送ってくるたび、私はまたしてもあれこれと推測をするのだった。洗礼《バウチズモ》を受け、ガラシャという霊名を与えられた奥方は小侍従によると、生れて始めて確たる心の拠《よ》りどころを得た悦びにみたされ、侍女たち数人と修道女と同じ生活を送っているとのことである。毎日、朝夕には祈りを欠かさず、金曜日にはひそかに食をへらして主の十字架での苦しみを思い、一日の終りにはおのれの良心を糾明することを怠らない。

「まこと人の鑑《かがみ》のような方に奥方は変られました」

小侍従は骨のつき出たその頬に微笑をうかべて報告してきた。

「殿は御存知でありましょうか」

私が訊《たず》ねると、

「いいえ」と小侍従はそれが当然と言うように「殿は切支丹《きりしたん》を嫌うておられます。

切支丹を嫌うておられる殿には奥方もなにひとつうち明けておられませぬ」

神はすべての人に平和と静謐《せいひつ》とを与え給う。夫婦にも愛と理解とをもたらし給う。だが奥方はその神を依《よ》りたのむゆえにますますその夫に心を閉している。

小侍従が来ぬ時、奥方はパードレにおのれの悩みや教義の質疑をしたためた手紙を使に持たせた。その手紙を私はパードレに訳してさしあげたから内容もよく知っている。

「何より嬉《うれ》しく思いますことは、皆さまが日本に止まる御決心をなされましたことでございます。これによりわが心も励まされ、いつかは皆さまにお目もじできる望みを新たにいたしました。思えば、わたくしが切支丹になりましたのも、人から説き勧められてのことにはあらで、すべての勝る神《デウス》の聖寵《ガラサ》と御慈悲によることとは、パードレさまも御承知にございます。天が落ち、草木が枯れくちることとありますとも、神をたのみとする心はゆらぐことございませぬ」

その手紙には一度も殿のことは書かれていなかった。奥方は彼女の子供たちが切支丹になることを切に念願しているとのべてきたが、夫である殿の救いについてはまったく無関心だった。

「三歳になる二男は病が甚だ重く、助かる望みも絶え果てました折、わたくしはその子の魂《アニマ》の助かりのことが気にかかり、小侍従と篤《とく》と語ったのち、この子供を創《つく》られた神《デウス》にお任せすることが何よりの道と信じ、小侍従がひそかに洗礼《バウチズモ》を授けジョアンと名づけました。その日より快方に向い、今では恢復《かいふく》いたしました……わたくしはいつもパードレ様方の御消息が得られることを日夜念じ、わたくしが子供たちを救うのをお助けくださるように願っております」

それらの手紙をパードレのために訳しながら、私は奥方の世界にはもう殿は存在しないと思った。奥方はおそらく夫の苦しみや悲しみに一度も心をよせたこともなく、夫のために祈ることさえまったくなかったにちがいない。

お叱りを受けぬため口に出さぬことにしたが、この件をパードレも気づいておられたであろう。だがパードレの御返書には何もそれに触れられていない。むしろパードレは奥方を戒めることを避けておられるように思われた。管区長やパードレは私のような一修道士とはちがって、奥方のような高貴な方が信徒であることの、布教に及ぼす利や益を考えておられるから、そのため事を荒立てないのか、それともあくまで神に至る路《みち》は幾つもあるという気持から黙っておられるのか、そこがわからない。

そんなあさましい疑惑を私に起させたのは、パードレ自身が長崎の司教に送られた布教報告書に次のようにのべられたからだった。

「当地では関白さまの迫害が下火になるにつれ、昔と同じように教会《エクレジア》の活動も少しずつ活発になり、それにつれて新しく日本人を改宗させることができた。とりわけ、我々にとって大いなる悦びは細川忠興殿の夫人が洗礼を受け、その側近にも切支丹を学ぶことを勧めている点である。夫人はまだ切支丹になって日も浅いが、しかしその生活はいかなる修道者にも劣らぬほど清潔なもので、心はひたすら神にのみ向き、眼はただ神にのみ注がれ、他のいっさいの現世の利には無関心である」

パードレの述べられることを筆記しながら私はこうした報告文にかくれた嘘《うそ》を感じざるをえなかった。嘘、いや、私はまちがいを言ったようだ。パードレのこの報告文にはどこにも嘘はない。奥方の信者としての生活の外見は、事実、この通りに違いないからである。しかしこの報告書の背後に眼をつぶらねばならぬ闇があり、人間の心の深い淵《ふち》が覗《のぞ》いていると、これを読む司教達はお気づきになるだろうか。

そんな私のひそかな不安が遂《つい》にはっきりとした形となる日が来た。それは奥方が受洗して三年目の復活祭の日で、一日中、混雑した我らの教会にやっと人影がみえなくなった時、小侍従が切迫した表情で一通の書状をパードレに持参したのである。

いつものように私がその書状を開いて、パードレに訳してさしあげた。奥方の優美な文字は、自分がもう今の生活には耐えられなくなったことを縷々《るる》とのべ、前よりも更に心の荒んだ殿は事あるごとに夫人の冷さを詰問《きつもん》することを歎《なげ》かれていた。嫉妬に燃えた殿は、奥方が某日、過《あやま》ちを犯した料理人をかばっただけで、その男の首を即座にはねたと言う。

「このままにては心の乱されること甚しく、すべてを捨てたしと願う心は日ましに強くなり、迷っております。聞けば長崎にはわたくしのような女たちの住まう修業の家もあるとのこと。もしお許し頂ければ、その家に逃れ、生涯を尼《あま》のごとく、世を離れ生きたいと考えております。御存知のように切支丹を知ってよりこの世への執着さらさらになく、ただ神にのみにおすがり申したいと念じておりますゆえ、この願い、何とぞお聞きとどけくださいますよう。それにつけても、すべての名利を捨てられた高山さまをお羨《うらやま》しいと存じます」

小侍従は手紙を読み終った私とパードレとにもし許可が得られるならば、奥方出奔の計画は自分たちがたてると言った。その時も小侍従の眼はいつかのように異様に光った。

「なりませぬ」

思いがけなくパードレは強く首をふられた。

「かかる企ては日本の切支丹を亡《ほろ》ぼそうとする悪魔の企《たくら》みであり、もし事が露見すれば、殿だけではなく、殿を寵愛《ちょうあい》されている関白さまを怒らせ、ふたたび切支丹を迫害なさる口実を与えましょう。日本の切支丹のすべてのためにも、我らは奥方のため、そのような手引きは致しませぬ」

生涯を修業の家で送りたいと言う奥方の申し出をパードレが悦ばれるものと思いこんでいた小侍従は驚いて弁解をはじめた。しかしパードレは奥方の信仰の深さは認めるが、日本の布教に損失を招くようなことに加担はできぬと、あくまで主張された。

「奥方は忍耐の徳を学ばねばなりませぬ」とパードレは言った。

「奥方は長い長い間、忍耐なされておられます」

と小侍従は反駁《はんばく》した。

会話を聞きながら私は心のなかで、自分がもしパードレの立場ならばこう小侍従を戒めるだろうと思った。「奥方は、妻として心から殿を御大切になさらねばなりませぬ」

なぜなら、殿にたいして忍耐するということは、殿の哀《かな》しみを妻として理解しようとせず、ただ身に加えられた不幸を忍ぶということにすぎない。しかし、教会が教えている結婚の徳とは決してそのようなものではなかった。妻は限りなく夫を愛し、夫もまたこれに応《こた》えること、それが教会の結婚の定めなのである。にもかかわらず、パードレは一言もそのことを戒められぬ。パードレが今度の事に反対なさるのはあくまで布教の損失にそれが関係するからである。

パードレの思いがけぬ厳しい拒否に、小侍従は悄然《しょうぜん》と戻っていった。奥方もその後、長崎に逃げるという企てを諦《あきら》めたようだった。

朝鮮との戦争がはじまった。この国では天正の名あらたまって文禄元年となった年である。日本中をわがものとされた秀吉さまは関白の職を御養子の秀次さまにゆずられ、太閤《たいこう》と名のられたが、貪欲《どんよく》な野望は四隣を切りとることに向けられ、国中の軍兵を動員してまず朝鮮に攻め入ったのである。切支丹武将たちもやむなくこの動員に加わった。だがそれら武将を統率する小西殿は無謀なこの戦《いくさ》には賛成していなかった。第一陣として出征する前、小西殿は我らの教会を夜半に訪れ、パードレにこう打ち明けた。

「この戦に余は何の悦《よろこ》びも感じぬ。余は戦をするためではなく、和をひそかに講ずるために朝鮮に赴くつもりだ」

「太閤さまはそれを御承知か」パードレは驚愕《きようがく》して「小西殿は裏切られるおつもりか」

「裏切りはあの日から始まっている」淋《さび》しそうに小西殿は笑った。「表は棄教を装《よそお》い、裏では切支丹を守ったあの日から余は太閤さまを裏切って参った。そしてこのたびは、表では戦をなすごとく装い、裏では和平を進めることをせねばならぬ。この国で切支丹であるためには……」

そこで彼は言葉を切って重い吐息と共に次の言葉を洩《も》らした。

「この国でな、切支丹であるために……時には表と裏との二つの顔を持たねばならぬ」

この小西殿の生き方の辛《つら》さは私のような者にもじんと伝わった。

「パードレはやがて朝鮮に参られるお気持はないか。あの国はまだ切支丹の教えを知らぬゆえ」

小西殿が出陣してから、はじめは華々しく勝ち続けた戦も、冬に入ると捗《はかど》らなくなった。日本中の村々から男たちは公役、軍役にかり出され、物も食も乏しくなり、畠《はたけ》で働く者は老人や女だけになった。パードレもたびたびの小西殿の誘いに朝鮮に赴く決心をなされ、管区長と相談を続けておられた。こうして冬が終り、翌年の春になると、パードレは私を大坂の教会に残し、朝鮮に旅立たれた。

二年後の文禄四年、思いがけぬ事件がまた起った。太閤さまが突如、養子の関白秀次さまの乱行を責めたてて、仏教徒の聖地である高野山に追いやったのである。この事件は畿内《きない》だけでなく日本中を大騒ぎさせた。それは秀次さまが朝鮮との戦争にひそかに反対する武将と計り、太閤さまを倒そうとしたという噂《うわさ》のためで、その加担者のなかに意外と思われるような高官、大名の名があげられたのである。思いがけぬことには細川殿もその一味だという話だった。

当初は噂とばかり考えていたが、大坂の要所要所を軍兵がかため、毎日のように騎馬武者があわただしく駆けていくのが見えると、私も奥方の身を案じ、ひそかにその邸の近くまで出かけてみたが、ものものしい兵たちが近くに集っているのを見て逃げ帰った。やがてその警戒はとかれ、大坂は平静に戻った。だが奥方さまからその後も何の便りもなかった。彼女は教会に累《るい》が及ぶのを案じたにちがいない。

この年の降誕祭の日、思いがけなく使があり、奥方の手紙と贈り物を持ってきた。奥方はパードレが朝鮮に行かれたことを知り、その御消息を知りたしと書かれ、更につけ加えて、

「世のあさましさ、栄枯盛衰の有様、近頃の出来事にあわせて更に身にしみ、早う早う天国《ハライソ》に参りたく思いますが、まだ主《デウス》がお許しなさらぬのが悲しうございます。

このたびの関白さまの出来事に細川の家も御嫌疑かけられました時、夫ともどもわたくしも事と次第によっては、太閤さまより死を賜わるやも知れずと思い、その折、気がかりなのは死ではなく、切支丹にはかたく禁じられております自決をいかように致すべきか、迷いに迷いました。死は、濁世《じょくせ》からようやく離れ、天国《ハライソ》に参ることとなれば、わたくしには毛ほどの不安もなく、むしろ悦ばしきこと、

願わしきことと前々より考えて参りましたが、そのため教会《エクレジア》より自決の咎《とが》を受けるのは何より怖《おそろ》しく、このことパードレにお教え頂きたく思い暮しておりました」

そこまで読んだ時、私がすぐ思いうかべたのは、いつぞやの小西行長殿の苦しげな顔である。

「この国で切支丹であるため、時には……表と裏との二つの顔を持たねばならぬ」

あの苦渋にみちた言葉にはすべて異教徒にとり囲まれているこの日本で、異教徒と結びつきながら切支丹であろうとする者の悩みがじっとりと滲《にじ》み出ていた。私はその小西殿にくらべれば、世を捨てて今は加賀の前田殿の擁護のもとに祈りと茶道という世間を離れて生活を送っている高山右近殿の生きかたははるかにやさしいと思った。どちらの生き方が正しいか否《いな》かではない。小西殿の生き方のほうにずっしりと現世の十字架の重みがかかっていると感じたのである。そして高山殿と同じように奥方もまたその現世の十字架を担《にな》おうとするのではなく、むしろ放り出すことが宗教的だという気持が強い。それはあまりにも日本人風であるゆえ、私は疑惑に捉《とら》えられるのだ。この国に来て以来、仏教と切支丹との根本的な違いは、この世の十字架を捨ててそれを解脱《げだつ》とよぶか、それともこの現世の十字架を主と同じように死まで肩に背負って歩くかの相違にあるような気がする。そして私にはそこに切支丹信仰の美名をかりた異端の臭《にお》いを嗅《か》ぎとらざるをえなかったのだ。「死はこの濁世からようやく離れ、天国に参ることとなれば、わたくしにはむしろ悦ばしきことと願わしきことと前々から考えて参りましたが」その言葉のかげに私は悪魔がいかに巧妙に人間の心のなかに、いや神《デウス》を求める心のなかにも滑りこむかがわかるような気がした。

(奥方のお心には何か間違っているものがある)

ゆらぐ燭台《しよくだい》のそばで手紙を巻きながら私は呟《つぶや》いた。前から考えてきた奥方の像がはっきりと形を結んだ。だが一人の修道士にすぎぬ私はこの手紙を朝鮮におられるパードレに送り、すべての判断を任せることにした。

それにしても日本人はなぜ、穢《けが》れたもの、濁ったものから逃れることを宗教的な生き方と考えるのであろう。現世はそれ自体、穢れたものであり、生きることもまた穢れたものであり、結婚生活さえもまたさまざまの穢れがつきまとっている。だからこそ、教会《エクレジア》はそれを捨てるな、と教えた。離婚を禁じ、自殺を罪とみなした。それは、これら濁った渦のなかで生きつづけるのも愛だと教えるためだった。にもかかわらず奥方は既に殿から心を離して、現世で生きることも棄《す》てたいと考えている。そしてその考え方を切支丹の教えだと錯覚している。

やがてこのまま進めば、細川の奥方はいつか知らずして大きな罪を犯すのではないか、不意にそう思った。その時蛾《が》のはばたくように燭台の炎がゆれていてその炎を凝視しながら、私は眩暈《めまい》のするような気持に襲われた。この闇《やみ》のなかで誰もが気づいていないことに私だけが気づき、予感していることが怖しかったのである。

三月後、パードレから私と奥方あてに御返書がきた。いつもと同じようにパードレは私の怖れているものに何ひとつ触れておられなかった……

長い間、この覚書を書かなかった。あのいっさいの出来事を思い出すたび、辛く重くるしい気持がこみあげて筆をとる気になれなかったからである。だがやはり書いておかねばという気がする。書かねばならぬ使命のようなものを感じる。細川の奥方は自殺なされた。この国の慶長五年七月十七日、我々の年で一六〇〇年の夏である。

そのちょうど三年前に太閤さまが逝去《せいきょ》、悪夢にも似た朝鮮での戦に終止符がうたれた。長い長い戦争に誰も彼もが疲れ果てていた。草も木も枯れ果てていた。その荒廃した日本で、また男たちの野望がうごめき、動き、次の天下を奪おうとする争いがはじまった。江戸の徳川家康殿をもりたてる波と、それを阻《はば》もうとする石田三成殿とがたがいに違った方角から押し寄せ、ぶつかり、もつれあい、遂に頂点に達して、日本を分断する激闘を起した。

細川殿はむかし岳父の明智殿が都で反乱を起した時も、その誘いを断り、亡《な》くなった太閤さまの軍に加わったが、今度も石田殿の願いを退け、遠い江戸に加担した。この殿には本能的に勝敗を見通し、勝者を見ぬく眼があるように見える。殿は奥方たちを大坂に残して、会津の上杉殿と戦うため出陣した。

殿を懲《こ》らしめるため、戦意を失わさせるため、石田殿たちは奥方を人質にする計画をたてた。太閤の御遺族の名をかりて、奥方に大坂城へ登城するよう使いを邸に送ったのである。それが七月十七日である。

留守居役の小笠原殿はこの使いの命令を拒み、邸の防備をかためた。奥方の嫁である長男忠隆《ただたか》殿の内室はこれを知ると、宇喜多秀家《うきたひでいえ》に逃亡した。奥方にもまた邸から逃れることを奨《すす》める者があったが、彼女は首をふって邸に残ると言い張った。そして侍女には悉《ことごと》く邸を去るよう指図され、小侍従に幼い子供たちを托《たく》した。

午後、石田殿の軍勢が邸をかこんだ。僅《わず》かな兵で守られた邸の門はたちまち開かれ、足音や喚声は奥の間にいる奥方の耳にきこえた。留守居役の小笠原殿に彼女は目くばせをしてあることを促した。切支丹《きりしたん》は自分の手で自分の命を絶つことを禁じているからである。自ら長い黒髪を巻きあげ、その頸《くび》を前に差しだし、ためらう小笠原殿をみると、そばに寄って胸をはだけ、ここを突くよう、身振りで示した。致方《いたしかた》なく小笠原殿も刀をとった……

ちょうどその時、邸を逃れた小侍従たちは背後の邸のあたりから炎と黒煙のあがるのを目撃している。石田殿の軍勢が火をかけたのである。小侍従の知らせでオルガンチーノ管区長は翌日、焼跡に信徒の女性と訪れた。余煙くすぶるまだ暖い灰のなかに、数本の骨が埋れていた。それは女の骨であり、女のものである以上、奥方の骨にちがいなかった。管区長はこの骨を持ちかえって、ミサをたて堺の切支丹墓地に葬《ほうむ》った。……

奥方の死について知りえたのは以上のことだけである。十三年前にたった一度だけ、被衣《かずき》をかむって玉造の教会をたずねてきた彼女。私はあの時の彼女の、暗い顔しか知らない。そんな彼女の生き方や信仰に、何故、私は今日まで特別の関心を持ってきたのだろう。しかしこの不倖《ふこう》だった貴婦人の最期《さいご》に言いようのない痛々しさを感じていながら、その痛々しい心が他のパードレたちや管区長と同じでないことを感じて心は複雑なのである。

「あの方が自決なされたとは思いますまい」

追悼のミサの折、管区長はきびしい顔で皆に説教された。

「あの方は武将の奥方として道を選ばねばならなかった。その折も教会《エクレジア》の禁じている自決をなさらず家臣の手を借りられた。だからあれは自決ではありませぬ。奥方はこうして殿への節を貫ぬき、切支丹の教えをかたく守ろうとされた」

管区長の御説明にはくるしい無理があった。だがそのくるしい無理を押し通しても管区長たちは奥方を切支丹の鑑《かがみ》になされようとしている。信徒たちは黙って素直にその説教を聞いている。私も黙って坐《すわ》っている。だが奥方がどういう形で死んだのであれ、その心には、これ以上、生きのびるよりは、早く現世から去りたいと言う欲望がどこかで働いたのだと私は思う。高山右近と同じようにあの方の心には世を厭《いと》う気持、濁世に生きることを厭う気持がふかく根ざしており、そしてその厭世《えんせい》は主の教えではなくこの国とこの国の仏教によって育てられたような気がする。

「あの方は」

管区長は次の言葉を説教の結びとされた。

「日本の聖女のような気がいたします」

日本のという言葉を耳にした瞬間、私は思わず、うつむいた。うつむいたのは、その瞬間、耳の奥で聞えた奥方への冒瀆《ぼうとく》の声を打ち消すためである。現実世界の汚れや苦悩をすぐ棄てて、浄土を願うのが日本人の宗教ならば、奥方は切支丹として死んだのではなく、日本人の宗教で亡くなったのだ——そんな声が耳の奥でしたからである。

私は顔をあげた。そしてその時、すぐ近くに坐っている小侍従の眼がいつかのように異様に光ったのに気がついた。

奥方が亡くなって三ヵ月の後、石田三成殿と共に小西殿が六条河原で斬首《ざんしゅ》された。関ヶ原で敗れた行長殿は木曾《きそ》山中に一人、落ちのび、自刃《じじん》の機会はあったが、糟賀部とよぶ寒村で村人に自首した。その後、さまざまな恥辱を受け、鉄の首枷《くびかせ》をはめられ、十月一日、都を荷馬車で引きまわされ、衆人たちから卑怯者《ひきようもの》よ、と罵《のの》られ、切支丹からは転び者よ、と蔑《さげす》まれながら首はねられた。

解説

井上洋治

本書にのせられている五つの短篇は、いずれも一九八〇年から八三年にかけて、雑誌「新潮」「海」「群像」などに発表されたものであって、著者が大作『侍』を書き上げたあと、次の大作『スキャンダル』にむけて歩みはじめた足どりを、あざやかに示しているものである。

著者は、雑誌「知識」の一九八六年七月号にのせた武田勝彦氏との対談「『スキャンダル』の読み方教えます」のなかで、この作品を書いた動機を次のように述べている。

「ひとつは『侍』を書く前くらいからですが、『沈黙』を出発点として『侍』で一応は完成した私の作品群は、日本の土壌の中のキリスト教の問題、あるいは東洋と西洋の問題でもいいんですが、『侍』でおおまかな円環を閉じたという感じがあったんです。……中略……もうひとつは、ちょうどその頃から人間の深層心理や無意識を考えるようになったことです。ご存知のように宗教は思想と違って無意識のものです。したがって兵士が天皇陛下万歳と言って死ぬのは思想ですが、他方お母さんと言って息をひきとるのは無意識の声ですね。意識的な声と無意識的な声とふたつあるでしょう。そうすると私を含めて日本人の無意識の中にあるのは何だろうと……。私個人も自分の中に、一生懸命勉強したり作りあげた思想の他に、もうひとつの無意識の中に持っている自分があるんじゃないかと考えたわけです。今まで私の小説の中でもしそれを書いてなかったら、それを自分で探究してみようと思ったのです。」

この言葉からもわかるように、『侍』を書き終えた後、著者の心は次第に人間が深層意識のなかに秘めて持っているどろどろとした闇《やみ》の世界、著者遠藤流にいえば、悪の世界にひきつけられていくこととなるのである。

もっともこの著者の傾向は、何もこのときに突然あらわれたわけではなく、すでにフランス留学中の若い時代に芽生え始めていたことは、彼が降りしきる雪をついて、サドの城に行こうとした情熱の深さからもうかがうことができる。私自身、著者自身からその話は聞かされたことがあるし、またその間の事情は、遠藤順子夫人が『遠藤周作文学全集』第一巻の月報に「サドはこりごり」というエッセイのなかで、あざやかに語られている通りである。

本書の五つの短篇を一読すれば、一九八一年から八三年にかけてかかれた三つの短篇、即ち「授賞式の夜」「ある通夜《つや》」「六十歳の男」は後に発表される長篇『スキャンダル』の前奏曲といったものであることがわかる。ちょうど、何がとびだしてくるかわからない未知の真っ暗な地下の穴倉に通じる階段を、提灯《ちょうちん》をもって、そろりそろりと降りていくのに似て、深層意識の暗闇の世界に手探りで降りていこうとしている著者の姿を彷彿《ほうふつ》とさせるものである。ただ、この三篇より以前にかかれている「日本の聖女」と「夫婦の一日」には、この三篇とはかなり違った世界が描かれているように感じる読者の方々が多いのではなかろうか。しかし深層意識への関心という視点からみれば、創作年代に二、三年のちがいはあるとはいえ、やはり深いところでこの二篇もあとの三篇とつながるところを持っていると考えて差しつかえないのではないかと思うのである。

五つの短篇のうち、年代的に一番古いのは一九八〇年「新潮」二月号に発表された「日本の聖女」である。

従来、日本のキリスト教世界では、聖女とよばれ、キリスト信者の鑑《かがみ》として称賛されてきた細川ガラシャの姿を、著者はこの作品の中で、全くといっていいほどにそれとは別の角度からとらえている。それは著者の持つ人間観に由来するものであろう。著者は、先にもあげた『『スキャンダル』の読み方教えます」のなかで次のように語っているのである。「無名（これは無明《むみょう》のミスプリではないかと思う——筆者註）の世界っていうのは、どんな場所にあっても人間の心の中で切れないんじゃあないですか。いかなる聖者の中にも、まったく清らかな聖者っていうのはいないんで」

著者は、一人の修道士の口を借りて、無明の闇の世界をもつ細川ガラシャの姿をえがこうとしたのに違いない。

次は一九八一年「新潮」一月号に掲載された「夫婦の一日」である。

その前の年、一九八〇年のはじめ、著者の家の若いお手伝いさんが突然癌《がん》で死亡。著者自身も上顎《じょうがく》癌の疑いで入院し、幸い癌ではなかったが、肝臓、糖尿病も少しずつ悪化し、体力もとみに衰えつつあった。「妻がだまされた」という言葉で始まるこの短篇は、実はこういう出来事を素材としてかかれたものである。

主人公は著者自身ともうけとめられる五十歳を過ぎた作家であるが、家には正月早々からお手伝いさんが急死したり、当人も手術をうけたりと、悪いことばかりが続く。そこで不安にとりつかれた主人公の妻が占い師にみてもらうと、鳥取に行って水と砂をとってきて、水を主人公に飲ませ、砂を庭にまかない限り夫の命は今年限りだと告げられる。「私と一緒に鳥取に行ってください」と懸命に懇願する妻に「お前だってカトリックだろう。それじゃお前は多神教じゃないか」と言って、初めは烈《はげ》しい怒りと悲しみを覚えた主人公も、あまり熱心に頼みこんでくる妻に閉口して、友人のMとAに相談する。二人の答えは同じであって、いずれも、そんな迷信につかまると泥沼に足を入れたようになってしまうから断固拒絶すべきだ、というものであった。しかし、そのことを主人公がいくら言いきかせても、必死の面持ちで妻は泪《なみだ》ぐみながら、「一緒に鳥取に行ってください」を執《しつ》拗《よう》にくり返すのであった。困りはてた主人公は、カトリックの神父なら何とか妻を説得してくれるだろうと思って、I神父に相談したところ、全く意外な返事がもどってきたわけである。

「鳥取に行ってやりなさいよ。君がその迷信を信じていない以上、行こうが行くまいが、君には問題ないだろう。むしろ奥さんの気持がそれですむなら、行くことで解決したまえよ」

このI神父のすすめもあり、これ以上妻との争いで不快な関係を持ち続けるのもいやで、遂に主人公は妻と共に鳥取に出かけることとなる。そぼふる雨のなかで、砂丘に打ちこむため、妻が両手で支えている杭《くい》を木槌《きづち》で打ちながら、最後に主人公の心に、これで良いのだ、という感情がひろがっていくという場面でこの短篇は終っている。

一般論でいえば、迷信に関してMやAの言ったことは明らかに正論である。それはI神父にもよくわかっていた筈《はず》である。では何故I神父は主人公に鳥取行きをすすめたのだろうか。

ここに深層意識の問題が浮かびあがってくるのではなかろうか。

日本の文化は「祟《たた》りの文化」だとある著名な宗教学者が語ったのをきいたことがある。そうだとすれば、その感情は長い年月の間に日本の人たちの深層意識に植えつけられてきたものであって、心の闇深くに沈んでいるものであるから、理屈で打ち破れるようなものとは性質がちがうのである。一時「不幸の手紙」というのがはやって困ったことがあった。

「この手紙を五枚うつして、知人に匿名《とくめい》でださない限り、あなたの家には必ず不幸が来ます」という手紙をもらうと、余程しっかりしている人でも、何となく薄気味悪くなって、まあ五枚ぐらいならうつしてだそうか、という気分になってしまうのである。

特にこの妻の場合、その祟りへの恐怖はまさに主人公への深い愛情のゆえに、深層意識の闇のなかからもくもくと立ちのぼってきているものなのである。宗教と迷信は違う、お前のは多神教だなどといくら主人公が理屈で説得しようと、到底、妻からその恐怖と苦悩を取り除くことはできないのである。

理論は人を変えることはできない。ただ深層意識に深いインパクトが与えられたときだけ人は変わる。正邪を判断してさばくのではなく、ただその人の苦悩や哀しみや弱さを自分のものとして受け入れたときだけ、はじめてその人は変わっていくのだということは、まさにイエスの生涯が示しているところである。その『イエスの生涯』をかいたのが、まさに君だったのじゃあないか。そうI神父は主人公に言いたかったのであろう。

一九七六年、著者はアウシュビッツのナチスの収容所あとを訪れる。そして深い衝撃を受ける。

帰国後著者は私に語った。

「井上、俺はずっと昔から〝悪〟というのは〝罪〟とはちがうと思っていたんだが、今度アウシュビッツに行って、それを確信したという気がしている。〝罪〟は、堕《お》ちていくと同時に、そこに救いへの可能性という二重性を持っているが、〝悪〟はちがう。人間はその深層意識の中に、ただ堕ちていくだけという面も持っていると思うんだ。昼間、何千人という男女をガス室で殺しておきながら、その男は平然とその夜、酒を飲みながらモーツアルトの音楽を楽しんでいたというんだ」

命令とはいえ人を何千人も殺していたら、酒を飲みながら音楽をきくことで、現実から逃避しなければいられなかったんだろう。それは人間の弱さじゃあないのか。といった私の反論にも彼は決して動じようとはしなかった。

いずれにせよ、このアウシュビッツの体験がきっかけで、それまで少し横におかれていた人間の深層意識にひそむ〝悪〟の問題が、著者の心をとらえはじめ、それがこの「授賞式の夜」「ある通夜」そして「六十歳の男」という三篇に結集されていったことは間違いあるまい。

一九八一年の「海」六月号に発表された「授賞式の夜」は、主人公である作家が、その作品の授賞式の夜、友人である選考委員のスピーチをきいているうちに、急に自分がこれらの人たちをだましているようなうしろめたさと居心地の悪さにおそわれて、式後嘔吐《おうと》するという筋であるが、ここには深層意識の闇のなかに人間誰しもが持っている偽善性があざやかにえがきだされているといえる。

「ある通夜」は一九八三年の「新潮」一月号に発表されたものであるが、この短篇は、主人公の一つ年上の従兄《いとこ》の通夜の席で、その従兄の中学時代の蛇殺しの場面から、つい最近にいたるまでのサディスティックな行為を主人公が思い出すという筋になっている。そして主人公が、その従兄のサディスティックな行為にある共感と快感を感じているというところで、著者は人間の心の闇にひそむサディズムをえぐりだしてみせているといえる。

同年「群像」の四月号に発表された「六十歳の男」では、著者は、六十歳になり、老いを深く感じ、死のことばかり考えるようになった主人公の深層意識のなかに、まだうら若い女の子の充実した生命に嫉妬《しっと》し、これを凌辱《りょうじょく》し、破壊してやろうとする強い快感がひそんでいることを巧みな筆致で描きだしている。

この三篇を先程もいったように、後にかかれる長篇大作『スキャンダル』の前奏曲とすれば、この三篇から『スキャンダル』へと続く小説の課題は、まさに悪と共存する人間の救いということになるはずである。

もともと著者自身はこの三つの短篇に続く長篇を『スキャンダル』ではなく「老いの祈り」という題名にしたかったのだということを、対談「『スキャンダル』の読み方教えます」で語っているが、この言葉は私には極めて重要な意味を持っていると思われる。

老いの醜さは、たんに肉体的な次元だけではなく、心の次元までひろがっていくものだからである。そしてその心の次元が、老いることによって、深層意識から吹きあがってくる悪の煙にたえず汚《けが》されていく危険を持っているということなのである。その哀しみのなかで、必死に人間を超えた存在に祈るのが老いの姿なのだ、と著者は言おうとしているように思われるからである。だとすればそこには必ずや救いはあるはずである。

『スキャンダル』の次のような最後の描写があざやかにそのことを物語っているといえる。雪の降る夜道を歩いている勝呂《すぐろ》とよばれている主人公の前を、もう一人の勝呂、つまり〝悪〟が歩いている場面である。

「男はふりむきもせず、大通りをひたすら千駄ヶ谷の方に歩いている。街灯に照らされて無数の白いものが周りを動いている。その細かな雪片から深い光を発しているようだ。光は、愛と慈悲にみち、母親のような優しさで男を吸いこもうとしている。男の影像は消えた。

眩暈《めまい》を感じた。彼は男の消えたその空間を見つめた。光は次第にその強さをまし、勝呂自身をも包みはじめ、そのなかで雪が銀色に赫《かがや》きながら顔にふれ、頰をなで、肩に溶けていった。『憐《あわ》れみたまえ』口から言葉がこぼれた。『心狂える人間を憐れみたまえ』」

これはまさに著者遠藤の願いでもあったのである。

「私も六十歳の時から死支度ということをちょっと考えはじめました。と同時に老いによって今まで感じなかったことをたくさん感じ始めました。甘えの青春時代や中年の頃には感じなかった部分、無意識の底にある大きなコスモスのような、自分を包んで生かしてくれる世界ですね。宇宙といったらいいでしょうか。キリスト教では神と名づけますが。老いによってますますそれを感じますね。自分の意識的生活だけでなく、もうひとつの自分と併せ包んでくれる愛と慈愛に満ちた光というものを書きたいですね」（『スキャンダル』の読み方教えます」）。

（平成十二年一月、カトリック司祭）

この作品は平成九年九月新潮社より刊行された。

十頁だけ読んでごらんなさい。十頁たって飽いたらこの本を捨てて下さって宜しい。

遠藤周作著

大作家が伝授する「相手の心を動かす」手紙の書き方とは。執筆から四十六年後に発見され、世を瞠目させた幻の原稿、待望の文庫化。

遠藤周作著

海と毒薬

毎日出版文化賞・新潮社文学賞受賞

何が彼らをこのような残虐行為に駆りたてたのか？　終戦時の大学病院の生体解剖事件を小説化し、日本人の罪悪感を追求した問題作。

遠藤周作著

満潮の時刻

人はなぜ理不尽に傷つけられ苦しみを負わされるのか――。自身の悲痛な病床体験をもとに、『沈黙』と並行して執筆された感動の長編。

遠藤周作著

侍

野間文芸賞受賞

藩主の命を受け、海を渡った遣欧使節「侍」。政治の渦に巻きこまれ、歴史の闇に消えていった男の生を通して人生と信仰の意味を問う。

遠藤周作著

女の一生

二部・サチ子の場合

第二次大戦下の長崎、戦争の嵐は教会の幼友達サチ子と修平の愛を引き裂いていく。修平は特攻出撃。長崎は原爆にみまわれる……。

遠藤周作著

女の一生

一部・キクの場合

幕末から明治の長崎を舞台に、切支丹大弾圧にも屈しない信者たちと、流刑の若者に想いを寄せるキクの短くも清らかな一生を描く。

遠藤周作著

王妃 マリー・アントワネット（上・下）

苛酷な運命の中で、愛と優雅さを失うまいとする悲劇の王妃。激動のフランス革命を背景に、多彩な人物が織りなす華麗な歴史ロマン。

遠藤周作著

白い人・黄色い人

芥川賞受賞

ナチ拷問に焦点をあて、存在の根源に神を求める意志の必然性を探る「白い人」、神をもたない日本人の精神的悲惨を追う「黄色い人」。

遠藤周作著

王国への道

―山田長政―

シャム（タイ）の古都で暗躍した山田長政と、切支丹の冒険家・ペドロ岐部――二人の生き方を通して、日本人とは何かを探る長編。

遠藤周作著

死海のほとり

信仰につまずき、キリストを棄てようとした男――彼は真実のイエスを求め、死海のほとりにその足跡を追う。愛と信仰の原点を探る。

遠藤周作著

キリストの誕生

読売文学賞受賞

十字架上で無力に死んだイエスは死後〝救い主〟と呼ばれ始める……。残された人々の心の痕跡を探り、人間の魂の深奥のドラマを描く。

遠藤周作著

イエスの生涯

国際ダグ・ハマーショルド賞受賞

青年大工イエスはなぜ十字架上で殺されなければならなかったのか――。あらゆる「イエス伝」をふまえて、その〈生〉の真実を刻む。

沈　黙　谷崎潤一郎賞受賞
遠藤周作著
殉教を遂げるキリシタン信徒と棄教を迫られるポルトガル司祭。神の存在、背教の心理、東洋と西洋の思想的断絶等を追求した問題作。

悲しみの歌
遠藤周作著
戦犯の過去を持つ開業医、無類のお人好しの外人……大都会新宿で輪舞のようにからみ合う人々を通し人間の弱さと悲しみを見つめる。

砂の城
遠藤周作著
過激派集団に入った西も、詐欺漢に身を捧げたトシも真実を求めて生きようとしたのだ。ひたむきに生きた若者たちの青春群像を描く。

留　学
遠藤周作著
時代を異にして留学した三人の学生が、ヨーロッパ文明の壁に挑みながらも精神的風土の絶対的相違によって挫折してゆく姿を描く。

彼の生きかた
遠藤周作著
吃るため人とうまく接することが出来ず、人間よりも動物を愛し、日本猿の餌づけに一身を捧げる男の純朴でひたむきな生き方を描く。

母なるもの
遠藤周作著
やさしく許す〝母なるもの〟を宗教の中に求める日本人の精神の志向と、作者自身の母性への憧憬とを重ねあわせてつづった作品集。

阿刀田 高著　新約聖書を知っていますか

マリアの処女懐胎、キリストの復活、数々の奇蹟……。永遠のベストセラーの謎にミステリーの名手が迫る、初級者のための聖書入門。

北 杜夫著　どくとるマンボウ航海記

のどかな笑いをふりまきながら、青い空の下を小さな船に乗って海外旅行に出かけたどくとるマンボウ。独自の観察眼でつづる旅行記。

北 杜夫著　どくとるマンボウ昆虫記

虫に関する思い出や伝説や空想を自然の観察を織りまぜて語り、美醜さまざまの虫と人間が同居する地球の豊かさを味わえるエッセイ。

北 杜夫著　どくとるマンボウ青春記

爆笑を呼ぶユーモア、心にしみる抒情。マンボウ氏のバンカラとカンゲキの旧制高校生活が甦る、永遠の輝きを放つ若き日の記録。

北 杜夫
斎藤由香著　パパは楽しい躁うつ病

株の売買で破産宣告、挙句の果てに日本から独立し紙幣を発行。どくとるマンボウ北杜夫と天然娘斎藤由香の面白話満載の爆笑対談。

北 杜夫著　夜と霧の隅で　芥川賞受賞

ナチスの指令に抵抗して、患者を救うために苦悩する精神科医たちを描き、極限状況下の人間の不安を捉えた表題作など初期作品5編。

北杜夫著
幽霊
―或る幼年と青春の物語―

大自然との交感の中に、激しくよみがえる幼時の記憶、母への慕情、少女への思慕――青年期のみずみずしい心情を綴った処女長編。

北杜夫著
楡家の人びと
(第一部～第三部)
毎日出版文化賞受賞

楡脳病院の七つの塔の下に群がる三代の大家族と、彼らを取り巻く近代日本五十年の歴史の流れ……日本人の夢と郷愁を刻んだ大作。

宮尾登美子著
きのね
(上・下)

夢み、涙し、耐え、祈る……。梨園の御曹司に仕える身となった娘の、献身と忍従。健気に、そして烈しく生きた、或る女の昭和史。

宮尾登美子著
仁淀川

敗戦、疾病、両親との永訣。絶望の底で、二十歳の綾子に作家への予感が訪れる――。『櫂』『春燈』『朱夏』に続く魂の自伝小説。

宮本輝著
道頓堀川

大阪ミナミの歓楽の街に生きる男と女たちの、人情の機微、秘めた情熱と屈折した思いを、青年の真率な視線でとらえた、長編第一作。

安岡章太郎著
海辺《かいへん》の光景

精神を病み、弱りきって死にゆく母――。精神病院での九日間の息詰まる看病の後、信太郎が見た光景とは。表題作ほか、全七編。

安岡章太郎著

質屋の女房

芥川賞受賞

質屋の女房にかわいがられた男をコミカルに描く表題作、授業をさぼって玉の井に〃旅行〃する悪童たちの「悪い仲間」など、全10編収録。

庄野潤三著

プールサイド小景・静物

芥川賞・新潮社文学賞受賞

突然解雇されて子供とプールで遊ぶ夫とそれを見つめる妻――ささやかな幸福の脆さを描く芥川賞受賞作「プールサイド小景」等7編。

阿川弘之著

春の城

読売文学賞受賞

第二次大戦下、一人の青年を主人公に、学徒出陣、マリアナ沖大海戦、広島の原爆の惨状などを伝えながら激動期の青春を浮彫りにする。

阿川弘之著

雲の墓標

一特攻学徒兵吉野次郎の日記の形をとり、大空に散った彼ら若人たちの、生への執着と死の恐怖に身もだえる真実の姿を描く問題作。

阿川弘之著

山本五十六

新潮社文学賞受賞(上・下)

戦争に反対しつつも、自ら対米戦争の火蓋を切らねばならなかった連合艦隊司令長官、山本五十六。日本海軍史上最大の提督の人間像。

阿川弘之著

米内光政

歴史はこの人を必要とした。兵学校の席次中以下、無口で鈍重と言われた人物は、日本の存亡にあたり、かくも見事な見識を示した！

新潮文庫最新刊

仁木英之著
神仙の告白
旅路の果てに―僕僕先生―
突然眠りについた王弁のため、薬丹を求める僕僕。だがその行く手を神仙たちが阻む。じれじれ師弟の最後の旅、終章突入の第十弾。

仁木英之著
師弟の祈り
旅路の果てに―僕僕先生―
人間を滅ぼそうとする神仙、祈りによって神仙に抗おうとする人間。そして僕僕、王弁の時を超えた旅の終わりとは。感動の最終巻！

石井光太著
43回の殺意
―川崎中1男子生徒殺害事件の深層―
全身を四十三カ所も刺され全裸で息絶えた少年。冬の冷たい闇に閉ざされた多摩川の河川敷で何が起きたのか。事件の深層を追究する。

藤井青銅著
「日本の伝統」の正体
「初詣」「重箱おせち」「土下座」……その伝統、本当に昔からある!? 知れば知るほど面白い。「伝統」の「？」や「！」を楽しむ本。

白河三兎著
冬の朝、そっと担任を突き落とす
校舎の窓から飛び降り自殺した担任教師。追い詰めたのは、このクラスの誰？ 痛みを乗り越え成長する高校生たちの罪と贖罪の物語。

乾くるみ著
物件探偵
格安、駅近など好条件でも実は危険が。事故物件のチェックでは見抜けない「謎」を不動産のプロが解明する物件ミステリー6話収録。

夫《ふう》婦《ふ》の一《いち》日《にち》

新潮文庫　え－1－35

平成十二年三月一日発行
令和三年二月二十日十刷

著者　遠《えん》藤《どう》周《しゅう》作《さく》
発行者　佐藤隆信
発行所　株式会社 新潮社
郵便番号　一六二―八七一一
東京都新宿区矢来町七一
電話　編集部(〇三)三二六六―五四四〇
　　　読者係(〇三)三二六六―五一一一
http://www.shinchosha.co.jp

価格はカバーに表示してあります。

乱丁・落丁本は、ご面倒ですが小社読者係宛ご送付ください。送料小社負担にてお取替えいたします。

印刷・大日本印刷株式会社　製本・加藤製本株式会社

ISBN978-4-10-112335-6　C0193